UMA NOVA VISÃO DO AMOR

Dados Internacionais de Catalogação na Publicação (CIP)
(Câmara Brasileira do Livro, SP, Brasil)

Gikovate, Flávio, 1943- .
  Uma nova visão do amor / Flávio Gikovate. 7. ed. rev. –
São Paulo: MG Editores, 2009.

  ISBN 978-85-7255-055-0

  1. Amor 2. Casamento - Aspectos psicológicos
  3. Relações interpessoais 4. Sexo (Psicologia)
  I. Título.

08-09648   CDD-152.4

Índice para catálogo sistemático:
1. Amor: Psicologia 152.4

Compre em lugar de fotocopiar.
Cada real que você dá por um livro recompensa seus autores
e os convida a produzir mais sobre o tema;
incentiva seus editores a encomendar, traduzir e publicar
outras obras sobre o assunto;
e paga aos livreiros por estocar e levar até você livros
para a sua informação e o seu entretenimento.
Cada real que você dá pela fotocópia não autorizada de um livro
financia o crime
e ajuda a matar a produção intelectual de seu país.

UMA NOVA VISÃO DO AMOR

Flávio Gikovate

MG EDITORES

UMA NOVA VISÃO DO AMOR
Copyright © 1996 by Flávio Gikovate
Direitos desta edição reservados por Summus Editorial

Editora executiva: **Soraia Bini Cury**
Assistentes editoriais: **Andressa Bezerra e Bibiana Leme**
Capa: **Alberto Mateus**
Projeto gráfico e diagramação: **Crayon Editorial**
Impressão: **Sumago Gráfica Editorial**

MG Editores
Departamento editorial:
Rua Itapicuru, 613 — 7º andar
05006-000 — São Paulo — SP
Fone: (11) 3872-3322
Fax: (11) 3872-7476
http://www.mgeditores.com.br
e-mail: mg@mgeditores.com.br

Atendimento ao consumidor:
Summus Editorial
Fone: (11) 3865-9890

Vendas por atacado:
Fone: (11) 3873-8638
Fax: (11) 3873-7085
e-mail: vendas@summus.com.br

Impresso no Brasil

sumário

INTRODUÇÃO 7
Uma apresentação pessoal 7
Uma apresentação "histórica" 19

I. O AMOR *40*
1. Conceito de amor 41
2. Amor *versus* individualidade 53
3. O fator antiamor 67
4. O amor e a razão 79

II. O AMOR E O CASAMENTO *90*
1. O amor "pede" casamento 91
2. O casamento entre pessoas diferentes 110
3. A paixão 138
4. O amor entre semelhantes 160

III. PARA ALÉM DO AMOR *182*

Uma nova visão do amor

introdução

UMA APRESENTAÇÃO PESSOAL

É verdade que temos progredido muito no entendimento do fenômeno amoroso; não menos verdade, porém, é que ainda temos muito a caminhar até a plena compreensão de todas as suas peculiaridades. A tarefa é importantíssima, pois o sofrimento relacionado com as questões sentimentais continua a ser enorme. **As pessoas sofrem na vigência das relações amorosas. Sofrem também porque estão sem parceiro, condição na qual se sentem abandonadas, inferiorizadas, solitárias. Sofrem mais ainda nos períodos correspondentes às rupturas de vínculos nos quais estiveram seriamente empenhadas e dos quais esperavam a continuidade eterna. Então, a dor é brutal. É dor de morte, louvada em verso e prosa pelos poetas e escritores de todos os tempos.** Apesar de estarmos vivendo um período peculiar, caracterizado por rápidas mudanças em tudo que nos cerca e mesmo em algumas de nossas propriedades íntimas, nossos sonhos românticos ainda são os mesmos. Nossas fantasias em relação ao casamento continuam a ser muito parecidas com as de nossos ancestrais; ainda nos assustamos quando acontece o eventual fracasso conjugal, apesar de tudo, sempre inesperado.

Uma nova visão do amor
Flávio Gikovate

O meu interesse pelas questões da sexualidade e do amor estabeleceu-se em virtude de uma série de fatores que, hoje, considero difíceis de serem atribuídos a simples coincidências. É como se tivesse havido um encadeamento segundo algum critério que eu, na ocasião, desconhecia. Ingressei na faculdade de medicina em 1961. Formei-me em 1966. Durante o curso já me preparava para fazer especialização em psiquiatria, uma vez que, para mim, a psicologia sempre correspondeu à área de maior interesse. Em 1966 "caiu-me" nas mãos o livro de Masters e Johnson[1] sobre a sexualidade humana, trabalho experimental e pioneiro que provocou grande impacto na época e me influenciou muito.

Iniciei minha vida profissional com grande entusiasmo, muita coragem e algum conhecimento. Aprendi com os meus pacientes e com as leituras sobre a condição humana, o que, até hoje, corresponde ao que mais gosto de fazer. Meus pacientes continuam a ser minha maior fonte de aprendizado, e sei muito bem o débito que tenho para com eles. **Hoje sei avaliar quanto a ignorância inicial me foi útil para que pudesse olhar para os fatos da vida de uma forma própria, original. Costumo dizer que a ignorância é muito criativa! É criativa, não há como deixar de ser assim, pois somos obrigados a dar algum tipo de solução aos dilemas que nos são apresentados.** Por outro lado, por sua natureza, essa situação é geradora de enormes tensões e inseguranças.

---

1 MASTERS, William H.; JOHNSON, Virginia E.; REPRODUCTIVE Biology Research Foundation. *Human sexual response*. Boston: Little, Brown, 1966.

Não consegui me identificar com nenhuma das "escolas" que norteavam os procedimentos psicoterápicos. Influenciado por um psicanalista dissidente — mais no sentido da prática do que pelas ideias — chamado Franz Alexander, passei a dedicar-me ao que se chamou de psicoterapia breve. Esse tipo de atividade permite o convívio com um grande número de pacientes, de modo que, nestes quarenta anos de trabalho intenso, acumulei uma experiência quantitativa incomum. Tive muitos pacientes desde o início da prática; na época, as queixas relacionadas aos assuntos sexuais eram muito frequentes. Mais que depressa, pus-me em campo, tratando dessas questões de modo muito pouco ortodoxo. Associei hipóteses derivadas das teorias psicanalíticas com proposições práticas sugeridas por Masters e Johnson, além de outras ideias depreendidas da leitura de trabalhos publicados em revistas especializadas.

Nessa época, aprendi muito. Entre outras coisas, aprendi que o bom andamento da vida sexual era muito dependente da parceria que se estabelecia. **Uma mulher poderia ser "fria" — usava-se muito esse termo para definir dificuldade orgástica — com o seu marido e exuberante com o amante. Um homem poderia ter vida sexual normal com sua esposa e ficar totalmente impotente diante de uma prostituta. Poderia também ficar impotente diante de uma mulher muito bela, principalmente se por ela tivesse desenvolvido um grande entusiasmo sentimental. Uma mulher "fria" com o marido poderia se tornar "exuberante" de uma hora para**

Uma nova visão do amor
Flávio Gikovate

a outra se viesse a saber que ele estava encantado por alguém e disposto a se divorciar.

Tais situações podem nos parecer, hoje, muito simples de ouvir e de explicar. Porém, refiro-me ao período que vai de 1968 a 1974, quando ainda se pensava que o único orgasmo verdadeiro era o vaginal e que o prazer clitoridiano era indício de imaturidade emocional. Naquela época, as informações a respeito do sexo eram tão poucas e tão obscuras que ainda era relevante ensinar aos jovens que a masturbação não é prejudicial à saúde. As moças se conservavam, como grande regra, virgens até o casamento. Os rapazes só tinham intimidades com prostitutas e com algumas moças, em geral de classe social inferior à deles.

Com o passar dos anos, foi ficando claro, para mim, que as hipóteses psicanalíticas não eram adequadas para explicar os fenômenos da vida sexual que eu observava. Ao mesmo tempo, fui notando que as reflexões e proposições práticas dos defensores das técnicas mais objetivas para o tratamento das dificuldades sexuais eram insuficientes. As peculiaridades da dinâmica interpessoal, dos aspectos não sexuais envolvidos no relacionamento entre aquele homem e aquela mulher, foram aparecendo aos meus olhos como cada vez mais importantes para a compreensão do que acontecia na intimidade física que eles estabeleciam.

É desnecessário enfatizar que viver um período como este, caracterizado por dramáticas mudanças e grandes novidades em todas as áreas, não significou apenas observar os meus pacientes. Eu era jovem, ti-

Uma nova visão do amor

Flávio Gikovate

nha sido criado segundo os modelos em vigor nas décadas anteriores, de modo que também sofri o impacto da revolução de costumes dos anos 1960.

Acompanhei várias histórias de pessoas que se apaixonaram, quase sempre em condições objetivas de impossibilidade — é bom lembrar que tais impedimentos eram levados muito a sério até aquela época. Ganhei outro livro que me influenciou muito: *A separação dos amantes*[2], de Igor Caruso, publicado na Áustria em 1968 e traduzido para o espanhol em 1970. Percebi a pobreza da literatura técnica acerca das questões do amor e, por motivos subjetivos e objetivos, passei a interessar-me muito mais pela temática do amor do que do sexo. **Foi parecendo cada vez mais claro para mim que o sucesso ou o fracasso da atividade sexual dependia, como regra, das peculiaridades da relação amorosa envolvidas no processo.** Hoje sei que as coisas não são tão categóricas assim; mas, na época, essa convicção fez que a maior parte do meu interesse fosse voltada para o estudo das características da vida conjugal, seus problemas e eventuais soluções. As observações que fiz até então redundaram em um livro que publiquei em 1975, chamado *Dificuldades do amor*[3]. Atualmente talvez só tenha valor histórico, pois os temas dessa natureza não tinham sido objeto de publicação no Brasil — como de

---

2 CARUSO, Igor. *A separação dos amantes: uma fenomenologia da morte*. Trad. João Silvério Trevisan. 5. ed. São Paulo: Cortez/Diadorim, 1989.
3 *Dificuldades do amor: um estudo sobre os tumultos na vida a dois. Com destaque para os casos de paixão e suas semelhanças com o uso de drogas*. São Paulo: MG, 1975.

Uma nova visão do amor
Flávio Gikovate

resto eram raros tais textos mesmo na literatura mundial. Nesse mesmo ano apresentei um trabalho no encontro anual da Sociedade Brasileira para o Progresso da Ciência (SBPC) sobre o amor como instrumento de repressão e violência, no qual já apresentava, ainda que de forma tímida, algumas observações críticas a respeito dessa emoção, que as pessoas gostam de ver como linda e portadora unicamente de boas vibrações.

A partir de 1976, ficou claro para mim que havia dois modos básicos de escolha do objeto do encantamento amoroso, que poderiam ser chamados de "as razões do coração": ou nos encantamos com nossos opostos ou com pessoas semelhantes a nós. Nos casos de união entre pessoas diferentes — que correspondem à maioria das ligações —, foi ficando evidente que **uma delas é predominantemente egoísta.** Essa união equivale ao tipo "sádico" descrito por Erich Fromm em *A arte de amar*[4], uma das honrosas exceções à escassa produção a respeito do amor até então. **A outra é essencialmente generosa,** correspondendo ao "masoquista" na terminologia de Fromm. **O estudo do egoísmo e da generosidade tornou-se, em virtude disso, importantíssimo para mim, de modo que, por essa via, comecei a lidar com questões mais filosóficas e de natureza moral. O homem justo, nem generoso, nem egoísta, foi transformando-se no tipo ideal, capaz de dar e receber na mesma medida.** O homem justo poderia ser, tam-

---

4 FROMM, Erich. *A arte de amar*. Trad. Milton Amado. Belo Horizonte: Itatiaia, 1961.

bém, livre, o que está mais próximo de um sonho do que de um fato em nossa existência.

Com Freud, tínhamos aprendido que o sexo e o amor eram duas facetas do mesmo instinto, chamado de instinto de vida. Foi ficando cada vez mais indiscutível, aos meus olhos, que sexo e amor eram de naturezas completamente diferentes; e, não raro, expressavam-se de modo antagônico. Era o caso, por exemplo, das paixões que podiam ser responsabilizadas por marcadas inibições sexuais nos homens. **Ainda me recordo do susto que levei quando me surgiu a ideia, ainda não registrada por ninguém, de que o amor era um instinto autônomo. Pareceu óbvio, naquele momento, o fato de o amor se governar por processos diferentes dos do sexo.** E mais: que na vigência do relacionamento amoroso o que acontecia na intimidade sexual estava subordinado às peculiaridades do vínculo afetivo. **Por esse caminho concluí que o sexo isolado do amor era governado por regras próprias e que as dificuldades que aí aparecessem estariam relacionadas com problemas específicos dessa área. Por outro lado, o sexo integrado nas relações amorosas seria governado pelas regras do amor, de modo que as dificuldades surgidas nesse contexto refletissem inadequações peculiares ao relacionamento afetivo.** Essa visão era muito atraente, pois explicava — e ainda hoje penso que explica — a grande maioria dos casos de dificuldades sexuais que a prática clínica colocava diante de mim.

O passo seguinte foi tentar entender por que as relações entre pessoas semelhantes — em especial, duas pessoas mais generosas — eram tão frequentes na determinação do elo conjugal. A questão tornava-se mais intrigante quando correlacionada com o fato de que tal tipo de união era a regra nas centenas de histórias de paixão que eu acompanhava. A época — fim dos anos 1970 e início dos anos 1980 — foi marcada pelo aumento da frequência de divórcios e por sua maior aceitação social. Em virtude desse fato, os obstáculos externos imputados como determinantes para a não-consumação das alianças se tornaram mais fáceis de serem removidos. Apesar disso, **a maioria das paixões — ligações intensíssimas e ricas em medo e inseguranças — continuava a terminar com a separação dos amantes.** Por outro lado, ainda era muito comum o segundo casamento; respeitava, porém, o tradicional critério da união entre opostos. **As ligações mais intensas redundavam em separação, e as mais "brandas" em casamento! Era preciso tentar explicar tamanha contradição.**

A contradição era muito relevante, pois para mim havia se tornado óbvio que as boas relações eram aquelas que se estabeleciam entre pessoas de temperamento, gostos, aptidões e caráter semelhantes. Nossos amigos sempre foram escolhidos dessa forma, ao passo que nossos namorados e cônjuges eram o oposto de nós. Vivíamos bem com os amigos e mal nas relações conjugais. Fomos educados para achar que os bons relacionamentos se estabeleciam entre opostos. O ditado popular dizia que "dois bicudos não se beijam". As pessoas afirmavam — e não são poucas as que afirmam até hoje — que viver com parceiros parecidos, não havendo, assim, motivo para brigas, é muito monótono. Esquecemos que os casais sempre brigam do mesmo modo e pelas mesmas razões. Brigam brigas repetidas. **A separação dos amantes apaixonados deriva de fatores em sua maioria pouco relevantes, que acabaram por me levar a suspeitar de um importante "fator antiamor". Chamei-o, em 1978, de "medo do amor"; em 1980, passei a vê-lo como parte de um processo mais complexo, que denominei de "medo da felicidade".** O medo do amor correspondia ao medo de perder a identidade, a individualidade, em decorrência da fusão romântica intensa. O medo da felicidade é causador daquela sensação de iminência de tragédia que nos assalta quando estamos muito felizes. E nada é capaz de provocar-nos maior sensação de felicidade do que um encontro amoroso sólido e aconchegante. É tudo que queremos e também o que mais tememos, pois nos parece que sua concretização virá acompanhada de inevitáveis catástrofes.

O entendimento mais consistente desse "fator antiamor" provocou em mim certa tranquilidade acerca do assunto, ainda que não me parecesse possível acabar totalmente com o medo relacionado ao envolvimento afetivo rico. Aparentemente as coisas estavam claras, pois a relação entre pessoas semelhantes era a melhor solução e os medos a ela associados tinham de ser "administrados". Por volta de 1979, retomei as questões sexuais. Nessa ocasião comecei a pressentir a existência de importantes

Uma nova visão do amor
Flávio Gikovate

diferenças na natureza do desejo masculino em comparação com o feminino. A época era muito inoportuna, pois o discurso oficial pregava a "óbvia" igualdade entre os sexos. Estávamos no auge do feminismo exaltado, da descoberta da dignidade do orgasmo clitoridiano. A indiscutível defesa da igualdade de direitos e deveres sociais entre os sexos estendia-se também para o universo da psicologia. Tive problemas, mas não pude deixar de dar sequência à minha caminhada. Defendi com vigor, por exemplo, que o desejo visual era muito mais importante para o homem do que para a mulher.

Essa diferença no campo da sexualidade traz algumas dificuldades para a relação amorosa, uma vez que os homens se sentem diminuídos pelo fato de não serem desejados do mesmo modo que desejam. Isso os faz invejosos em relação às mulheres, condição na qual se tornam agressivos, "machistas". A inveja dos homens em relação às mulheres pareceu-me mais importante e universal do que a "inveja do pênis" que Freud atribuía às mulheres. Dediquei boa parte do meu esforço a tentar entender melhor a subjetividade masculina, beneficiado pelo crescente número de clientes desse sexo no cotidiano da prática clínica.

A retomada da questão sexual também me impulsionou na direção do estudo de um ingrediente fundamental desse instinto: a sensação de excitação difusa que sentimos ao nos exibirmos, ao provocarmos olhares de desejo, interesse ou admiração. Refiro-me à vaidade humana, tema mais do que negligenciado pelos textos psicanalíticos e pela literatura em geral. A vaidade participa ativamente das nossas decisões, das nossas ações e posturas emocionais, de modo que seu estudo me pareceu indispensável. O próprio fenômeno amoroso está altamente "contaminado" por essa emoção. A confirmação dessa afirmação está no discurso das pessoas apaixonadas: "Você é incrível, maravilhosa; é a pessoa mais especial que conheci; é a mais linda" etc.

Desde o meu primeiro livro, de 1975, registrei as semelhanças entre a paixão e a dependência que os drogados têm dos seus "vícios". Circunstâncias pessoais levaram-me a refletir e a escrever também sobre o tema das dependências. O primeiro trabalho tratava da obesidade e o segundo das dificuldades para abandonar o "vício" do cigarro — as aspas, que deixarei de usar daqui em diante, referem-se ao duplo sentido dessa palavra em português. Infelizmente não existe, ao menos como uso consagrado, um termo que não expresse essa postura recriminatória em relação às dependências em geral. A semelhança dos fenômenos observados nas dependências de drogas com os que se encontram no encantamento amoroso foi se tornando mais e mais evidente.

Começou a formar-se, na minha mente, uma corrente de reflexão oposta àquela que vinha desenvolvendo. Eu já sabia que o amor implicava dependência. Achava que, para que o problema ficasse bem "resolvido", bastava "depender da pessoa certa". Havia riscos, é claro; por isso mesmo, amar sempre foi visto como um ato de coragem que as pessoas com pouca tolerância à dor não cos-

tumam empreender. Além do desejo de estabelecer um elo amoroso, era necessário ter essa capacidade para lidar com as dores e frustrações presentes nessa empreitada de risco. É forte, ainda hoje, minha convicção de que a maior fraqueza de um ser humano é a incapacidade de lidar com as dores da vida, que, além de tudo, são inevitáveis.

Com o tempo, foi crescendo essa corrente interna que acreditava não ser o amor muito mais do que qualquer outro tipo de dependência. O processo não se formou a partir do nada. A verdade é que comecei a observar um número crescente de pessoas realmente optando por ficar sós, por não se casar. Essas pessoas estavam optando por não tentar se resolver por meio da ligação romântica, por meio do outro. Essa opção é um fenômeno muito diferente de não se envolver por medo das dores próprias de eventuais perdas. **Comecei a vislumbrar a possibilidade de um bom número de pessoas estar se encaminhando a uma opção pela individualidade. Passei a refletir sobre a seguinte hipótese: se as pessoas conseguirem ficar razoavelmente bem consigo mesmas, que tipo de envolvimento amoroso elas estabelecerão?**

As perguntas multiplicaram-se com uma velocidade extraordinária. É possível ser feliz sozinho? Se for, as pessoas desejarão amar? Como será esse amor? No futuro, essas pessoas independentes ainda pretenderão se casar? O que é mais importante: o encontro amoroso ou a liberdade individual? Será possível a existência de um elo amoroso que respeite a liberdade do outro? Como será a vida sexual das pessoas mais indepen-

dentes e mais competentes para ficar sozinhas? E os filhos, quem desejará tê-los? Chegou, finalmente, a hora da tão anunciada "morte da família"?

Minhas vivências pessoais e a prática clínica diária, ao longo destes quarenta anos particularmente difíceis e atraentes da nossa história, trouxeram-me a este ponto da trajetória, em que coisas fundamentais estão acontecendo — ou prestes a acontecer. Tudo leva a crer que o equilíbrio entre a importância do amor e da individualidade está em via de alterar-se, mudar de posição.

UMA APRESENTAÇÃO "HISTÓRICA"

Não são raros os momentos em que me sinto tentado a escrever como os poetas e romancistas. Eles dispõem de uma liberdade invejável, pois não estão comprometidos com a precisão dos fatos. Podem, nessas condições, chegar mais próximo de eventos cujo desenrolar nós desconhecemos. Com um pouco da liberdade que só costumamos atribuir a eles, gostaria de poder dividir a história do homem na Terra em três partes: o período em que vivemos como nômades, sem acasalamento e organização social sistemáticos; o período no qual passamos a viver em grupos maiores e aos pares; e finalmente o período que se iniciou nos anos 1960, cujas características mais definitivas apenas podemos delinear.

Do ponto de vista da psicologia, e em particular para os temas que estou tentando abordar com mais profundidade, essa divisão — que por outros aspectos pode parecer arbitrária — parece-me extremamente útil. **A vida** primitiva, anterior às regulamentações obrigatórias da vida em grupo, caracterizava-se pela livre expressão da nossa natureza animal. Todos os nossos impulsos estavam livres para tentar se exercer. Estavam limitados apenas pelas outras forças da natureza com as quais teriam de se confrontar. Por exemplo, se o homem era fisicamente mais forte do que a mulher, tinha acesso sexual a ela de acordo com o seu desejo. Para a caça de um animal, a pessoa dependia de que suas forças fossem maiores do que as da presa pretendida. Contava, é verdade, com sua inteligência sofisticada.

No entanto, a inteligência mais sofisticada nem sempre foi de grande valia, o que se repete em cada um de nós nos primeiros meses de vida. Enquanto o nosso cérebro privilegiado não for capaz de acumular certa quantidade de informações e não puder correlacioná-las, pouca será a serventia prática da inteligência. A história de cada um de nós repete a história da espécie; é o que se diz e, penso, faz sentido. Costumo dizer, aparentemente como brincadeira, que o homem é um macaco portador de um computador especial. Como o computador ainda não estava em operação por falta de informações suficientes, vivíamos mais de acordo com o macaco, de acordo com nossa natureza animal e instintiva. É difícil imaginar exatamente como era o íntimo das pessoas, como sentiam umas às outras, que tipo de vínculo e apegos estabeleciam entre si. De todo modo, penso que a maior ocupação desse animal humano era sobreviver em um *habitat* extremamente adverso.

Uma nova visão do amor

Flávio Gikovate

A vida em grupo — acasalamento estável, procriação com parceiro definido e surgimento das famílias, subgrupos cada vez maiores, tais como tribos, cidades e nações — caracterizou-se pela influência crescente do nosso "computador", cujo "software" foi paulatinamente — e com grande dificuldade inicial — abastecendo-se de informações e conhecimentos. Nosso computador, por intermédio de uma de suas instâncias, que chamamos de razão, foi criando as condições para que exercêssemos um domínio cada vez maior sobre o meio onde vivíamos. Aprendemos a nos defender cada vez melhor dos animais ferozes que nos cercavam; sofisticamos mecanismos de caça aos mais fracos, bem como o confinamento de alguns deles para fins de alimentação; outros domesticamos com o objetivo de serem utilizados para tarefas que nos poupariam esforços. Ao entendermos um pouco mais acerca da natureza dos vegetais, pudemos nos dedicar ao cultivo sistemático da terra. **Não podemos deixar de nos orgulhar, pois foi extraordinária a nossa capacidade de interferir e modificar o que aqui encontramos. Nossas cidades de hoje não guardam a mais remota semelhança com a selva primitiva que existia antes de nós. Usufruímos os frutos da nossa razão, geradora da ciência e da técnica, cujos benefícios para nossa qualidade de vida são inestimáveis.**

Penso que é válido afirmar que a maior parte da nossa energia psíquica, ao longo dos milênios que nos separam da fase inicial, quando vivíamos quase como macacos, foi gasta na busca da resolução das necessidades básicas de sobrevivência. Elas eram tantas e as adversidades tão brutais que era lógico nos dedicarmos a isso antes de qualquer outro objetivo. A fome, o frio, as doenças e as dores do corpo tinham de ser debeladas ou, ao menos, minoradas. Sabemos que processos complexos logo se estabeleceram na trama da vida social; logo surgiram desigualdades tanto na distribuição dos esforços como nas recompensas relativas aos cada vez mais intricados sistemas de produção. O crescimento da população acabou sendo muito grande, até maior do que a capacidade humana de produzir riquezas. **Hoje sabemos que também não dispomos de reservas inesgotáveis. Esse é, a meu ver, mais um indicador de que estamos no fim de um período da nossa história, provocando uma importante inflexão no curso de nossa maneira de viver, de pensar, de sentir e de agir.**

Todavia, com o objetivo inicial de maximizar o aproveitamento das energias humanas, que, na vida em grupo, deveriam se somar, a razão passou a interferir também na natureza interior de cada um de nós. Não é preocupação minha, neste instante, saber se essa tendência para o domínio de nossas peculiaridades "mamíferas" estabeleceu-se com o intuito de favorecer esta ou aquela liderança dentro dos grupos sociais cada vez mais complexos. Não é esse o tema. Da mesma forma, não é o caso de avaliarmos como as "forças sobrenaturais", sempre pressentidas, foram usadas para intimidar o "macaco" que existe dentro de nós. **O que é essencial e indiscutível é que, com o intuito de tentar resolver as**

Uma nova visão do amor
Flávio Gikovate

necessidades básicas de sobrevivência, interferimos tanto na nossa realidade externa como na interna.

Na prática, isso significou o aumento do número de regras limitadoras do livre exercício da nossa natureza. O acasalamento passou a ser regulamentado e estabeleceram-se as chamadas proibições incestuosas. A iniciação sexual assume um caráter ritual em muitos grupos, o que significa que surgem regras delimitadoras para a expressão desse desejo. Acontece o mesmo com nossas reações agressivas, que poderão se expressar em tantas e tais situações e deverão ser reprimidas em tantas outras. (A carne humana poderá ser comida ou não, dependendo do que se regulamentou.)

Nesses grupos, cada vez maiores e mais complexos, existem os mais poderosos, os que detêm a liderança. Estes sempre conseguem exercer seus desejos de forma mais livre, burlando as regras que eles mesmos ajudaram a estabelecer. Surgem, pois, as grandes desigualdades conhecidas de todos nós. Surgem as proibições e, com elas, as transgressões. Surgem as penalidades para os que transgrediram; e os privilegiados sempre encontrarão uma forma de se livrar das punições. As coisas são assim até os dias de hoje.

Do ponto de vista material, a vida assim organizada trouxe os enormes benefícios que conhecemos. Do ponto de vista da nossa subjetividade, porém, gerou em cada um de nós algum tipo de partição, de conflito. Reconhecemos a necessidade prática de determinadas limitações; porém, isso não faz que os nossos desejos desapareçam.

Uma nova visão do amor

Flávio Gikovate

Reconhecemos que a vida em família, por exemplo, é aconchegante e útil, mas essa constatação não elimina o desejo sexual por outras criaturas, além da que nos foi "destinada". Podemos respeitar as normas que garantem a propriedade individual, porém não podemos deixar de cobiçar as coisas atraentes que não nos pertencem. Podemos conseguir conter a raiva e toda a nossa agressividade, mas não conseguimos deixar de "querer matar aquele desgraçado" que nos ofendeu.

Fica evidente e cristalina, pois, a observação de Freud de que é impossível a vida em sociedade sem que haja repressão de alguns aspectos da nossa natureza biológica. A repressão é um processo contínuo que tem de se renovar a cada momento; gera, pois, uma tensão também contínua. Os desejos não desaparecem, e têm de ser represados a cada instante. Nosso equilíbrio psíquico é, portanto, dinâmico e não estático. Isso vale para todos nós e também para os grupos sociais que constituímos. Com a finalidade de atenuar as tensões internas, os grupos podem lançar mão de certos esquemas capazes de aliviar uma parte das tensões acumuladas em decorrência das proibições inevitáveis. As guerras, os esportes de luta e as competições em geral liberam parte da agressividade em nós armazenada. Festas populares, como o carnaval, bem como a literatura erótica e pornográfica, ajudam-nos a equilibrar com menor tensão as frustrações derivadas das repressões sexuais. Em momentos especiais, somos "autorizados" a realizar uma parte dos nossos desejos reprimidos.

Uma nova visão do amor

Flávio Gikovate

É bem provável que Freud tenha razão ao afirmar que nossa maior dificuldade consiste em equilibrar os impulsos sexuais. Não temos o cio, de modo que nosso desejo é permanente. Além disso, em razão de o desejo masculino ser desencadeado essencialmente pela estimulação visual, é inevitável que as mulheres nos "provoquem" o tempo todo. É verdade que nos provocam também aquelas que não "deveriam" fazê-lo — irmãs, filhas. Se a tensão for muito grande, poderemos usar o recurso de esconder de nós mesmos alguns dos nossos desejos perturbadores. Com isso, cria-se uma nova instância em nossa subjetividade — o inconsciente —, para onde vão as emoções que poderiam provocar muito sofrimento. Quanto maior for a repressão social e menor for a força de uma pessoa para suportar tensões internas, maior será o conteúdo do inconsciente. Se for só esse o material contido no inconsciente — e não são todos os que pensam assim —, podemos imaginar que, em condições favoráveis de organização interior, ele tenderia a desaparecer.

Todos esses esforços, tanto os relacionados com o trabalho para o progressivo controle sobre a realidade externa como os ligados à "autodomesticação" de nossos impulsos, nem sempre compatíveis com a vida em grupo, acabaram redundando em uma significativa melhora da qualidade de vida de um número crescente de pessoas. O processo ganhou corpo a partir da segunda metade do século XIX. A luz elétrica, os meios de transporte movidos a vapor e outras descobertas dessa magnitude propiciaram uma impulsão muito grande, pois, a partir de certo ponto, o desenvolvimento da técnica ganha uma velocidade que cresce de forma exponencial. Em meados do século XX, passamos a ter conhecimentos capazes de subsidiar a produção de bombas com poder de levar-nos à destruição total da espécie e do planeta. Esse é, segundo A. Koestler, um marco importantíssimo que não pode ser desconsiderado.

A melhora da qualidade de vida traz certo alívio no sentido de vermos nossas necessidades razoavelmente atendidas. Acontece que, a partir daí, nossos desejos, reprimidos em nome da resolução das necessidades, começam a pleitear maior espaço para se expressar. Coincidência ou não, é exatamente na virada do século XIX para o XX que surge a psicanálise, ciência pioneira no estudo de nossos desejos e de nossas contradições internas, exercendo hoje influência total sobre as nossas reflexões acerca do homem e de sua subjetividade.

É óbvio que a questão das necessidades humanas não está — e talvez nunca esteja — resolvida de modo satisfatório. Porém, uma série de fatores ligados ao próprio avanço da ciência permite-nos conjecturar soluções que não nos custem tão severas repressões. O que temos acompanhado, de modo mais evidente a partir dos anos 1960, é que passamos a colocar em dúvida a necessidade de continuarmos vivendo como vivíamos. Podemos questionar se a limitação na expressão de nossas manifestações instintivas é um tributo inevitável, que teremos de continuar a pagar com o intuito de avançar na resolução de nossas necessidades de sobrevivência. Há

Uma nova visão do amor

Flávio Gikovate

sinais claros de que o planeta não está mais suportando o ritmo de desgaste que a ele imprimimos pelo ritmo do nosso desenvolvimento. Há sinais claros, também, de que não estamos mais suportando a quantidade de repressões a que estivemos submetidos ao longo dos milênios. É possível que não as suportemos mais porque se tornaram desnecessárias. Se a repressão mais difícil de ser suportada é a de natureza sexual, uma eventual "revolução de costumes", como aquela à qual assistimos a partir dos anos 1960, não poderia deixar de ser essencialmente uma "revolução sexual".

Gostaria, mais uma vez, de ressaltar que não considero os fatos relativos a esse período apenas como resultado de modismo, coisa superficial ou passageira. Acho que estamos vivendo uma transição definitiva, que nos leva do mundo regido pela necessidade para o mundo governado pelos desejos. Considero esse processo irreversível, pois não é produto de vontades individuais ou de ideologias. É o fruto inevitável do avanço tecnológico que se estabeleceu no planeta, alterando dramaticamente sua paisagem e a nossa relação com ele. Como temos de nos adaptar ao nosso *habitat*, pois essa é uma condição de sobrevivência, ao modificá-lo estaremos nos obrigando a aceitar uma nova forma de ser. Assim, impomo-nos, ainda que sem consciência clara e sem controle sobre o processo, uma nova maneira de equilibrar nossos vários ingredientes anteriores. Jamais seremos os mesmos que fomos antes das mudanças físicas que impusemos ao planeta nos últimos anos.

Uma nova visão do amor

Flávio Gikovate

É interessante notar que as mudanças de comportamento só aconteceram mesmo a partir dos anos 1950. A chegada do *rock-'n'-roll* pode ser entendida como o marco inicial. Rapazes e moças deixaram de dançar grudados; com isso, cada um estabelecia seus próprios passos, ao contrário do que acontece quando se dança agarradinho, o que implica um liderando e o outro acompanhando. Todas as mudanças no modo de se vestir são de relevância enorme, pois quando um rapaz passa a usar bolsa, sandálias e túnicas rendadas estamos diante de uma postura de redirecionamento dos papéis sexuais com características revolucionárias. O mesmo vale para o modo como as mulheres passaram a se maquiar e se vestir. O exibicionismo feminino passou a ser muito mais ousado e extravagante do que nas décadas imediatamente anteriores. A maconha passou a ser usada por jovens de "boas famílias", e dizia-se que as intimidades sexuais se davam com maior facilidade depois do uso da droga.

É muito difícil entender como um processo desse tipo começou. Não tenho dúvida, porém, de que ele não foi desencadeado por concepções teóricas. Tampouco foram os filósofos e escritores existencialistas que o desencadearam. Foi o novo ritmo musical, responsável por atrair e deslumbrar a juventude, que provavelmente nem sabia quem eram Jean-Paul Sartre ou Albert Camus. Insisto sempre em ressaltar que, mesmo por caminhos não racionais e deliberados, sempre que o *habitat* em que vivemos se alterar dramaticamente ha-

Uma nova visão do amor
Flávio Gikovate

verá uma reordenação do nosso modo de vida com o intuito de estabelecer um novo equilíbrio adaptativo.

O avanço tecnológico trouxe consigo, por exemplo, a diminuição da importância da força física nas atividades produtivas. A inteligência foi se tornando mais importante do que o vigor muscular. Qual a consequência disso? A grande vantagem do homem sobre a mulher se neutralizou por ação do próprio homem. Apesar dos esforços de alguns teóricos dos séculos passados, nunca se conseguiu comprovar qualquer tipo de superioridade intelectual do homem sobre a mulher. Logo, estavam criadas as condições para a igualdade profissional, econômica e, inexoravelmente, social entre os sexos. Era apenas uma questão de tempo até que esse caminho fosse trilhado, o que vem acontecendo de modo firme e definitivo em nossos dias. Eventuais resistências internas, presentes nos homens e em muitas mulheres, acabarão sendo vencidas.

Os processos que temos vivido são definitivos. Não há como retrocedê-los, ainda que essa seja a vontade de muitas pessoas, assustadas com os desdobramentos não esperados do avanço tecnológico. **Não será possível "desinventar" a televisão nem a produção maciça de carros, motocicletas e aviões, que modificaram completamente nossa velocidade de locomoção. Não poderemos fazer a pílula anticoncepcional desaparecer, a qual, juntamente com as condições de independência econômica descritas, está na base de sustentação da emancipação feminina.** Não poderemos esconder das nossas crianças as calculadoras e pretender que elas se apliquem em memorizar a tabuada como um dia nós fizemos. Não poderemos fazer desaparecerem os computadores e os *videogames* para que elas queiram brincar, em grupo, de empinar pipas ou jogar futebol de botão.

Penso que é melhor deixarmos de lado a ingenuidade e tratarmos de nos conscientizar a respeito do que está, de fato, acontecendo. As filhas não mais se mantêm virgens até o casamento. Os filhos são mais individualistas, pois crescem em outro contexto, cercados por máquinas e não por pessoas. Os casamentos não têm a mesma estabilidade de antigamente, pois os divórcios são muito mais fáceis entre pessoas independentes. As esposas não são mais tão submissas, nem mesmo da forma superficial e apenas aparente como o foram muitas mães e avós. A música e a dança que nos embalavam não fazem o mesmo pelos jovens atuais, que preferem outras.

Não resisto à tentação de tratar essa transição que estamos vivendo como fundamental e defini-la assim: a vida humana, até então governada pela resolução das necessidades, agora passa a ser governada pela maior realização dos nossos desejos. É evidente que essa concepção só pode ser vivida pelas classes média e alta da população. As classes mais baixas vivem o mundo da necessidade e sabem das mudanças basicamente pelos meios de comunicação, sofrendo uma influência relativa e de desdobramentos complicados, pois essas mudanças não estão em sintonia com suas efetivas condições de vida. Aliás, penso que sejam de fundamental importância estudos mais aprofundados sobre o impacto dos novos costumes em ambientes onde essas alterações chegaram predominantemente por conta das informações, e não em decorrência dos avanços e mudanças na qualidade de vida.

Resolvemos nossas necessidades mais urgentes, de sorte que hoje vivemos mais anos e com melhor saúde. Podemos nos manter fisicamente mais atraentes até uma idade mais avançada. Nossas casas são muito confortáveis, pois temos água quente corrente, ar refrigerado e aquecido, geladeira, televisor, máquinas para lavar e secar roupas, novos equipamentos para a cozinha, além, é claro, do mundo encantado da informática para fins lúdicos e práticos. Nem o mais ousado visionário teria, há duzentos anos, imaginado as delícias da nossa vida atual, com carros, aviões, turismo fácil, lojas fartíssimas, restaurantes, cinemas etc.

Raramente paramos para pensar nas coisas boas que temos, nas nossas conquistas. Nosso cérebro, infelizmente, ocupa-se mais com o que nos falta e com o que nos provoca sofrimento e dor. A grande verdade é que, com nossas necessidades básicas mais do que bem resolvidas, não poderíamos deixar de nos encaminhar para o universo dos nossos desejos, para a busca dos prazeres da vida. Muitos desses prazeres, especialmente os de natureza sexual, tiveram de ser reprimidos; seu exercício mais livre estava em desacordo com as regras da vida em comum estabelecidas para a resolução das necessidades práticas. É verdade também que, à medida que as repressões se tornam menos necessárias, ficam mais insuportáveis. Nossa capacidade de fazer concessões diminui justamente quando elas podem deixar de existir.

A onda de libertação sexual, símbolo de todas as liberdades próprias de uma vida mais individualista e voltada ao prazer, pegou-nos totalmente sem condições para o exercício e usufruto do espaço que se apresentava para que o ocupássemos. Éramos tímidos, reprimidos; éramos o fruto do ambiente no qual tínhamos sido criados. Empolgamo-nos com a perspectiva de uma sexualidade mais livre, vivida com parceiros da mesma condição sociocultural, desvinculada de compromissos matrimoniais. Empolgamo-nos com a possibilidade de termos múltiplos parceiros, até mesmo simultaneamente. Éramos — e talvez todos, de alguma forma, ainda sejamos — seduzidos pela "promiscuidade" que se tornava possível. Parecia que era só ir adiante e fazer tudo aquilo que sempre havia sido proibido.

E quem conseguia ir adiante? Alguns poucos rapazes e moças ousavam, pois é difícil ultrapassar barreiras solidamente construídas dentro de nossa mente. Pudemos descobrir que elas eram mais fortes do que supúnhamos. Penso que é exatamente por essa razão que as drogas, em especial a maconha, tiveram papel importante na revolução dos anos 1960. Provocavam a sensação de ousadia e displicência — que não tínhamos —, bem como uma "leveza moral" que permitia levar adiante um projeto intelectualmente aceito mas muito difícil de executar. A maconha afrouxava o senso ético, de forma que os jovens tinham mais facilidade para agir de acordo com as novas condições de vida sexual que a realidade objetiva criara. Apesar de seus malefícios, indiscutíveis, é válido registrar que essa droga passou a fazer parte do cotidiano de um bom número de pessoas das classes sociais mais abastadas em virtude dessas propriedades, muito adequadas aos anseios e às dificuldades da época.

A diminuição da repressão interferiu basicamente nas práticas sexuais, e todos temos tido uma vida erótica incomparavelmente mais rica desde então. Porém, não foi só nessa área que o mundo da necessidade foi dando lugar ao universo do desejo. O trabalho era visto, havia séculos, como atividade dignificante e útil por excelência. Era virtuoso, ao passo que o lazer e o repouso eram vistos como momentos de futilidade, como coisas menores, quase pecados. Os *hippies*, jovens radicais que se opunham ao consumismo crescente — e à participação americana na guerra do Vietnã —, não faziam mais do que o necessário para sobreviver. Passaram a ser encontrados em feiras nas praças públicas, vendendo objetos de artesanato que eram o fruto de seu trabalho semanal. Vestiam-se de modo extravagante, porém singelo. Usavam bolsas e sandálias, sendo seu uso entre os homens pioneiro. Tinham um jeito de ser mais feminino, marcado, por exemplo, pelos cabelos longos. Introduziram o modo de ser e de vestir-se que passou a ser chamado de "unissex".

O lazer cresceu em importância e dignidade, como não poderia deixar de ser num mundo mais voltado para a realização dos desejos. As viagens — tanto as reais como aquelas que eram feitas por meio das

drogas — passaram a ser vistas como experiências muito relevantes e ricas. Surgiram palavras novas indicativas de uma nova postura diante da vida. A mais significativa, tanto que se tornou duradoura, foi "curtir". Significa contemplar, deixar-se ficar "embalado" por alguma música ou paisagem. É difícil descrever o impacto dessa palavra — e do seu significado, é claro — sobre os que, como eu, haviam tido uma criação ainda movida pelo espírito de sacrifício e luta. De repente, curtir a vida passou a ser visto como a parte mais importante de todas, mesmo para a maioria das pessoas que continuavam a trabalhar regularmente. **O trabalho era o símbolo da era da necessidade, ao passo que o lazer e a "curtição" são os objetivos maiores desta nova era do desejo.** É óbvio que, com o passar do tempo, muitas dessas atitudes radicais com respeito ao trabalho se alteraram, até porque ele pode ser significativa fonte de prazer, além de parte integrante de nossa relação com o planeta.

O avanço tecnológico nos conduziu, inexorável e independentemente da opinião que tenhamos sobre o assunto, a uma postura mais individualista diante da vida. Dependemos menos uns dos outros. Dependemos mais das máquinas e menos das pessoas. Nada exemplifica melhor essa condição do que a vida doméstica, na qual comidas congeladas, fornos de micro-ondas e outros elementos permitem que vivam sozinhos mesmo os que não sabem cozinhar. O divórcio tornou-se corriqueiro, pois o meio social aceita muito melhor as pessoas que vivem fora do núcleo familiar. Aliás, este último, que já vinha se enfraquecendo desde a Revolução Industrial, entrou em evidente colapso. Gosto de exemplificar isso com a seguinte observação: quando eu era criança, primos eram parentes próximos, pessoas importantes; eram quase irmãos. Hoje em dia não "valem" praticamente nada. Tenho mesmo a impressão de que, hoje, irmãos "valem" menos do que "valiam" os primos cinquenta anos atrás.

Nos anos 1960, as pessoas tinham enorme dificuldade para ficar sozinhas, o que ainda hoje é fato usual. Não tivemos nenhum tipo de preparo para a vida mais individual, e acredito que muitas crianças ainda sejam educadas desse modo. Os jovens que saíam de casa buscando uma vida mais rica em aventuras acabavam formando grupos, constituindo as chamadas comunidades. Compartilhavam determinado espaço, urbano ou rural, dividindo as tarefas e as despesas. O dinheiro e os bens materiais eram francamente desprezados. O importante era "curtir", "viajar", conhecer melhor o mundo interior, "mergulhar" nos sons da nova música. A vida sexual era livre, de modo que rapazes e moças não tinham grandes compromissos entre si. A monogamia e a fidelidade sexual não faziam o menor sentido no seio dessas "novas famílias".

Todos sabemos como terminou essa aventura, especialmente para os que tiveram "coragem" de mergulhar de modo mais radical nesse mundo do "sexo, drogas e rock-'n'-roll". Muitos jovens perderam-se por causa das drogas, tornando-se dependentes delas e encaminhan-

Uma nova visão do amor
Flávio Gikovate

do-se para o uso de outras, cada vez mais perigosas. Foram as grandes vítimas da revolução dos anos 1960, fato triste mas nada surpreendente, uma vez que é difícil imaginar uma revolução sem vítimas. Outro grupo foi ficando entediado com a pobreza material em um mundo que produzia bens de consumo cada vez mais atraentes. Deram alguns passos para trás e se integraram às regras da vida social. Tornaram-se idênticos àqueles que criticavam, dando a impressão, a muitos, de que os anos 1960 haviam correspondido apenas a uma aventura inconsequente.

Acredito que a vida nas comunidades terminou também em decorrência de outro fator. Em meio à vida sexual livre e sem compromissos, de repente afinidades específicas determinavam o surgimento dos fortes encantamentos amorosos. Aí as coisas complicavam-se irremediavelmente, pois as pessoas apaixonadas tornam-se possessivas, ciumentas e exclusivistas, em tudo discordantes dos princípios da vida em comunidade. O amor traz consigo o desejo de procriação, de ter "o filho do nosso amor". Assim, muitos amantes uniram-se, foram embora da comunidade, casaram-se e tiveram filhos pretendidos. Tudo nos levava a crer que estávamos de volta ao velho padrão milenar. Parecia mesmo que tudo havia sido apenas um sonho.

Os anos que se seguiram, a partir talvez de 1978, foram marcados por uma inversão de 180 graus em relação ao que havia acontecido na década anterior. Foi como se tivéssemos andado depressa demais, e o resultado compara-se ao movimento de um pêndulo que, muito impulsionado a uma direção, vai parar na outra. Surgiram até mesmo movimentos, malsucedidos, que pregavam a volta da preservação da virgindade das moças até o casamento. Tentavam se aproveitar do aparecimento da Aids para fazer propaganda contra a libertação sexual recém-adquirida e típica da época. Nesse setor as coisas não retrocederam tanto; contudo, no que diz respeito aos bens de consumo, cresceu o fascínio das pessoas por eles. A competição também cresceu muito, assim como a rivalidade entre os sexos — agora em parte estimulada também pelas características do mundo do trabalho.

O desejo de conciliar uma vida profissional intensa, capaz de gerar os bens materiais desejados, com os prazeres de uma vida rica em divertimento acabou levando as pessoas a procurarem outro tipo de droga, mais estimulante. A maconha foi sendo substituída pela cocaína, pois esta permite que uma pessoa trabalhe o dia todo e ainda tenha disposição para passar a noite acordada em uma discoteca. Se o consumismo nunca foi tão intenso e voraz, por outro lado as pessoas não estavam mais dispostas a abrir mão do lazer e da curtição com os quais haviam se familiarizado na década anterior. Tentaram aproveitar o melhor dos dois mundos.

Em meio a todo esse clima de retrocesso, as inovações mais relevantes continuaram a acontecer. A emancipação econômica e social das mulheres só cresceu, de modo que os divórcios, depois de uma curta fase mais conservadora, continuaram a se tornar o epílogo mais provável para as uniões conjugais. A questão sexual mostrou-se mais complexa do que nos pareceu no início do processo libertário. Contudo, nem por isso observamos sinais indicando um desejo da maioria das pessoas de retroceder ao que era a vida antes de 1968. As modas masculina e feminina nunca mais foram as mesmas, e as calças de brim, as camisetas e os sapatos mais confortáveis continuam presentes com toda a força. Outra peculiaridade que não pode ser desprezada é que cresce enormemente o número de pessoas que preferem ficar sós a estabelecer vínculos afetivos que envolvam compromissos e responsabilidades. É cada vez maior a quantidade de pessoas que preferem viver sozinhas, especialmente as que já se casaram, tiveram filhos e não se sentiram felizes nesse modo de vida mais convencional.

É verdade que as pessoas têm vivido de uma forma muito parecida com a de seus pais; porém, além das importantes diferenças que procurei apontar antes, existe mais uma: não têm estado bem. Vivemos uma época de depressão, mesmo aqueles que têm sido bem-sucedidos no mundo do trabalho e do sucesso material — e são os que sofrem menos de inveja, emoção tão forte em tantas criaturas. Aqueles que estão no seio de famílias estáveis também podem sofrer, carentes de maior liberdade e espaço para o exercício da identidade pessoal. As drogas continuam presentes e são usadas de modo cada vez mais generalizado. Continuamos a consumir os bens materiais; no entanto, esse caminho para a nossa "salvação" torna-se

mais e mais questionável. Os anseios místicos só têm crescido, um indício de que tamanho materialismo não está nos satisfazendo.

A impressão que tenho é de que estamos apenas armazenando energias e forças para fazer uma nova investida, buscando um modo de vida mais compatível com nossas aspirações e mais adequado ao meio exterior que nós mesmos criamos. Quero lembrar mais uma vez que acredito firmemente no fato de que os processos de mudança no nosso modo de ser e de viver são inexoráveis e que a revolução de costumes iniciada nos anos 1960 continua em vigor. Ela nos levará a um mundo novo, não obrigatoriamente melhor ou pior do que o antigo. Será o mundo possível, capaz de conciliar nossa realidade interna com a nova ordem externa que aí está. O melhor que temos a fazer é tratar de entender para onde caminha a humanidade e colocarmo-nos como partícipes do rico processo que nossa geração tem de viver.

O amor

1
Conceito de amor

um

Já descrevi, no passado, o amor como o mais importante e fundamental, como o mais revolucionário e libertário, o mais rico e gratificante dos sentimentos. Já me referi a ele como uma grave neurose regressiva e um vício como outro qualquer, como altamente repressivo e gerador de condutas terrivelmente autoritárias e como o sentimento que provoca as maiores dores e aflições a que podemos estar sujeitos. Hoje, não tenho dúvida de que todas essas peculiaridades podem, de fato, estar associadas ao envolvimento amoroso. A questão é, pois, tentar saber quando prevalecem os ingredientes construtivos e em que condições predominam os aspectos negativos e destrutivos que também podem, com facilidade, fazer parte do fenômeno. Cabe inclusive refletir sobre a hipótese de que existam dois "amores", um que nos faz bem e outro que pode nos destruir pelo grau de nocividade com que venha a se manifestar.

É preciso coragem para enfrentar diretamente essa questão, pois o amor é um sentimento considerado intocável, comprometido com o que é bom e belo, com o que é virtuoso e elevado. A maioria das pessoas não se ocupa em entender o que venha a ser, de fato, o amor. Ele

Uma nova visão do amor
Flávio Gikovate

é tratado como algo maravilhoso, que nos transporta para uma dimensão superior da existência, despertando em nós muitos dos nossos melhores sentimentos. Está associado a outros sentimentos ditos "nobres", como a solidariedade, a generosidade, a piedade etc. Não estou, em absoluto, negando a existência de um componente de verdade em tais afirmações. Apenas gostaria de registrar que elas não nos esclarecem muito sobre qual a sua verdadeira natureza. **Descrever as emoções e sensações que o amor nos provoca não nos ajuda na tarefa de defini-lo.**

Nossa visão preconceituosa a favor do amor nos leva a descrever esse sentimento realçando as suas indiscutíveis peculiaridades gratificantes. Não é justo, porém, deixarmos de registrar que é a fonte de algumas das maiores dores às quais estaremos sujeitos durante nossa vida. **A dor relacionada com a perda amorosa é dor de morte, de se perceber "esquecido" na mente de alguém que, por certo período, não conseguiu conceber sua existência sem a nossa companhia. A rejeição que podemos sentir quando, por exemplo, somos trocados por outra pessoa pode nos levar a comportamentos violentos que fogem de nossa conduta usual.** Pode até mesmo nos levar a matar, ou ao suicídio.

Esse intróito visa criar a atmosfera para uma tentativa de entendimento do que seja o amor em sua forma mais livre possível. Temos de nos empenhar para ir fundo nessa questão, por ser fundamental para o nosso bem-estar.

Tenho descrito o amor como o sentimento que temos pela pessoa cuja presença nos provoca a sen-

sação de paz e harmonia. A sensação de aconchego correspondente ao amor só se estabelece na presença daquela determinada criatura, do amado. Ele não pode ser trocado com facilidade e, durante o relacionamento, a sensação é de que aquele elo durará para sempre e de que o amado é insubstituível. Ou seja, vivemos o fenômeno como se ele fosse eterno, definitivo.

A descrição do processo amoroso não resolve nenhum problema e nos esclarece muito pouco, apesar da tendência que temos de pensar: "Agora sim, já sei o que é o amor". O problema nuclear é o seguinte: **por que vivenciamos a sensação de paz e harmonia na presença de outra pessoa? Por que não experimentamos essa sensação quando estamos sozinhos? Por que escolhemos aquela determinada pessoa e não outra para nos provocar a sensação de aconchego?** Se não formos capazes de dar respostas razoáveis a essas questões, construir hipóteses plausíveis e explicar os fenômenos que podemos observar em nossa vida, bem como ao redor de nós, isso significará que estamos mergulhados na mais absoluta ignorância, mesmo sendo capazes de descrever as sensações que acompanham o amor. Não podemos confundir a descrição de um processo com sua explicação.

Não vou me ater à diferenciação entre sexo e amor. Várias vezes descrevi as peculiaridades que distinguem esses impulsos básicos. **Apenas registro que o sexo corresponde à excitação e não à paz e harmonia; além do mais, a sensação de amor só pode se dar ao lado** de outra pessoa, ao passo que o sexo pode se exercer de modo solitário. **Mesmo quando a excitação sexual é desencadeada em função de uma pessoa, ela pode facilmente ser transferida para outra, o que não ocorre no amor.** Nesse sentimento, é fixo o nosso interesse por determinada criatura; por outro lado, podemos sentir desejo sexual por várias pessoas ao mesmo tempo. Sexo e amor não só não fazem parte do mesmo impulso como, não raro, estão em antagonismo. A fidelidade sentimental, por exemplo, é espontânea e natural; não se pode dizer o mesmo da fidelidade sexual, se é que ela, de fato, existe. Reafirmo que um importante indício de quanto o assunto ainda está envolto em mistérios e ignorância reside exatamente no fato de que a grande maioria das pessoas — incluindo profissionais da área — nem sequer se interessou por estudar essa distinção entre sexo e amor.

A hipótese que tenho defendido para explicar a existência do fenômeno amoroso relaciona esse impulso com as peculiaridades das nossas primeiras experiências vitais. O tema é fascinante e ainda muito controverso. Contudo, essa hipótese ao menos nos proporciona uma diretriz de pensamento para que possamos começar a estudar o assunto. **Acredito firmemente que o nascimento corresponda a uma de nossas mais traumáticas experiências.** Essa visão do "trauma do nascimento", como foi inicialmente descrita por Otto Rank, contém ingredientes importantíssimos e desdobramentos muito relevantes também para outros assuntos da nossa subjetividade. **A verdade parece ser a seguinte: estávamos muito mais bem**

Uma nova visão do amor
Flávio Gikovate

instalados no útero do que ficamos logo após o nascimento. Na realidade, é provável que o desconforto se inicie de fato com a ruptura da bolsa e o início do trabalho de parto. O feto terá de enfrentar dores pela primeira vez, pois durante o período uterino esteve protegido de quase todos os desconfortos e tensões.

O cérebro, no momento do nascimento, já está formado. Porém, é um computador sem "programa". A única informação registrada até então é a da harmonia uterina, em cujo ambiente ele foi se formando. A segunda informação é a inesperada e dramática ruptura dessa mesma harmonia. Em outras palavras, podemos dizer que o ato de nascer corresponde a uma transição de uma situação boa para outra pior. Essa é a razão para a expressão de pânico que podemos observar no rosto de todos os recém-nascidos. É a razão para a concepção bíblica de que estávamos no paraíso e de lá fomos expulsos. É evidente que não existem, em nossa memória, registros verbais de eventos tão precoces. No entanto, penso que o "computador", quando ainda desprovido de um "programa", desenvolve outro tipo de registro, difícil de ser evocado mas extremamente influente sobre nossa subjetividade. **É possível que muitos dos nossos mitos, lendas e uma importante parte de nossa produção artística tenham origem justamente nesses registros, que poucas pessoas são capazes de recapturar.** São, mais do que tudo, sensações que nos levam a "inventar" uma história que, ao ser mais profundamente analisada, corresponde a algo de fundamental que nos ocorreu.

Uma nova visão do amor

Flávio Gikovate

Por esse raciocínio também podemos entender o mito platônico do andrógino, descrito em *O banquete*, de Platão, segundo o qual todos nos originamos de um animal duplo — que, de fato, existe e corresponde à mulher grávida. Após a dramática partição do andrógino, cada metade sente-se triste e enfraquecida, buscando re-encontrar a outra metade perdida. A força que impulsiona na direção dessa reaproximação corresponderia ao fenômeno amoroso. Nada muito diferente do que estou dizendo hoje. **Parece que nos sentimos incompletos e desamparados desde o momento da ruptura da ligação uterina com nossa mãe, desde o corte do cordão umbilical que nos conectava diretamente com ela.**

A condição do recém-nascido é, realmente, terrível. Acho difícil imaginar situação pior. A criatura, portadora de um cérebro em condições de sentir, mas sem capacidade para entender coisa alguma, reconhece-se exposta a todo tipo de desconforto físico, antes desconhecido — frio, sede, fome etc. Impossível imaginar uma mudança mais radical do que a que envolve a condição uterina e o que acontece logo após o nascimento. **Tudo é absolutamente desconhecido e, até mesmo por questões instintivas, ameaçador. O medo não pode deixar de ser a emoção predominante a se expressar nas feições do neonato, que só experimenta algum alívio quando é reaproximado fisicamente da sua mãe. Nesses momentos, em especial quando é colocado junto ao seio para ser amamentado, provavelmente experimenta sensação similar à que**

sentia no útero. Vivencia um estado de aconchego e de razoável harmonia, coisa pouco comum nos outros momentos de sua breve vida. Não há como ser diferente: **nada pode ser mais importante e agradável para o bebê do que se achegar à mãe, alimentar-se do seu leite, sentir o seu calor, reconhecê-la pelo seu cheiro, conhecê-la agora pelo lado de fora.**

A importância da sucção e dos prazeres relacionados à boca fica evidente. Poucas são as criaturas que, em qualquer momento de sua vida adulta, não sentem necessidade de fazer algum uso dessa região como fonte de satisfação e aconchego. A amamentação é substituída pela chupeta, que é trocada pelo dedo (ou vice-versa), que é substituído por balas e chocolates, depois pelo chiclete, pelo roer das unhas, por comer compulsivamente, pelo cigarro etc. **Não temos sossego; somos todos portadores de algum tipo de inquietação oral, resíduo definitivo do período no qual tivemos essa via como nossa principal fonte de gratificação e de reaproximação da figura materna, que, como vai ficando claro, corresponde ao nosso primeiro objeto de amor.** Sim, pois foi na companhia dela que experimentamos a paz e o aconchego que queremos re-encontrar desde que fomos expulsos do nosso "paraíso" uterino.

O fato de a boca ser fonte de indiscutíveis prazeres, associado à noção de que todos os prazeres derivam sempre do mesmo instinto sexual, deve ter sido a principal razão que levou Freud a achar que a nossa primeira zona erógena corresponde a ela; chamou de fase oral o período em que nossas principais satisfações derivam daí. De que os prazeres orais são fortes e predominantes durante os primeiros meses de vida não tenho a menor dúvida. O que tem de ser mais bem entendido é se, de fato, trata-se de satisfação sexual. Penso que não. Penso que sejam parte do processo gerador de paz. Estão, pois, vinculados ao processo amoroso, que também é fonte de prazeres fortes, porém independentes dos de natureza sexual. É claro que as coisas se entrelaçam em fases posteriores da vida. O beijo exemplifica bem esse fato, pois pode estar nitidamente associado a carinho e ternura — manifestações de natureza essencialmente amorosa — ou então estar claramente relacionado com processos eróticos. **Não raro, o beijo corresponde à "via de passagem" de uma forma de prazer para a outra: o beijo na boca é uma manifestação de intimidade e ternura que na continuação vai se tornando uma fonte de excitação obviamente sexual.**

Creio que podemos retomar a hipótese que venho defendendo há quase três décadas acerca das correlações entre o amor e a "simbiose" uterina. Do ponto de vista fisiológico, a ligação do feto com a mãe é de natureza parasitária; porém, do ponto de vista emocional, as duas partes tornam-se extremamente vinculadas. Essa é a razão do brutal sofrimento que algumas mulheres experimentam depois do parto, que também para elas corresponde à ruptura de um elo importantíssimo. A relação é, de fato, entre o amor e a ruptura da simbiose uterina: é como se não nos conformássemos com essa ruptura, pois a ela associamos todas as dores e sofrimentos que passamos a vivenciar após o nascimento. Queremos, de

Uma nova visão do amor
Flávio Gikovate

todo modo, voltar para uma condição semelhante àquela de quando fomos gerados; queremos voltar a sentir a paz, a harmonia e o aconchego perdidos.

O termo "trauma", tantas vezes usado imprópria e levianamente, aqui se aplica com correção. Não conseguimos nos esquecer do que se passou nem "superar" o episódio e tocar a vida para a frente; ficamos atados ao que nos aconteceu, tentando achar uma solução, encontrar uma saída para o que tanto nos magoou. Não podemos, é claro, voltar para dentro do útero. Porém, não tenho a menor dúvida de que gostaríamos que acontecesse exatamente isso. **Não nos conformamos com o fato de termos nascido. Alguns adultos mais imaturos costumam mesmo acusar seus pais pelo acontecido, usando, sempre com o intuito de fazer chantagem, frases como: "Eu não pedi para nascer". A verdade é que sobra em todos nós uma vontade de "desnascer", de voltar à condição de não-existência, principalmente por causa da ausência de desconforto e dor. Se quisermos ampliar a ideia, poderemos dizer que existe dentro de nós uma tendência antivital.** Gostaríamos de voltar ao estado fetal não porque essa época fosse tão boa (como sabê-lo?), mas para nos livrar das dores e dos sofrimentos que passam inexoravelmente a fazer parte de nossa vida a partir do nascimento.

A situação que mais se aproxima do paraíso uterino perdido é aquela na qual o bebê está no colo da mãe, sendo cuidado e alimentado por ela. É o que de melhor se pode desejar dentro dos limites da realidade. É evidente que a criança vai querer estar nessa condição todo o tempo, ao menos todo o tempo em que estiver acordada. Se estiver dormindo e despertar subitamente, sem que a mãe esteja por perto, sentirá um enorme desespero, que corresponde ao desamparo associado ao pânico. O desamparo equivale à sensação abstrata de abandono, ao passo que o pânico está associado à dependência prática da criança, totalmente incapaz de sobreviver sem ajuda externa.

Se voltarmos à conceituação do amor como o desejo de experimentar a sensação de paz e harmonia ao lado de determinada pessoa, poderemos dizer que esse sentimento nada mais é do que o fruto do nosso desejo de neutralizar o desamparo que nos acompanha desde o dia em que nascemos. Como não pudemos superar o "trauma do nascimento", tivemos de buscar consolo para a dor do desamparo. Esse consolo corresponde ao fenômeno do amor. É evidente, pois, que nosso primeiro objeto de amor é a nossa mãe, sendo no convívio com ela experimentado algo parecido com a harmonia que perdemos ao deixarmos o seu útero. **O amor visa a conduzir-nos a um estado similar ao que perdemos com o nascimento. Significa paz e harmonia. Portanto, é homeostático: tira-nos de uma situação dolorosa e desagradável para nos levar a um estado de serenidade. Proporciona prazer derivado do fim da dor do desamparo. Não deve ser pensado como fonte de grandes aventuras e prazeres que se renovam. Quem pensar assim estará sujeito a enormes frustrações, esperando do amor o que ele não pode dar.** Para que seja fonte de prazeres que se renovam, só há um jeito: chegar perto de perder o objeto do amor para depois reconquistá-lo, e logo se arriscar a perdê-lo de novo, e assim sucessivamente.

O amor nasce conosco. Nasce como desejo de re--encontrarmos o prazer homeostático perdido desde a primeira vez que tivemos de respirar. Nasce também relacionado com a resolução de nossas inúmeras necessidades de sobrevivência. Nossa mãe é o objeto de prazer — porque nos tira da dor, o que se associa rapidamente a grande satisfação — e também aquela que nos nutre e nos dá alguma segurança quanto a termos os cuidados indispensáveis para a sobrevivência. **O amor nasce, portanto, como prazer e também como necessidade, como remédio para nossos males.** Se for verdadeira a tese, que defenderei mais adiante, de que nossas ligações amorosas adultas guardam muitas das peculiaridades desse primeiro elo, concluiremos que esse sentimento estará comprometido com conveniências e interesses de todo tipo em qualquer fase da nossa vida.

O amor nasce como remédio para o desamparo que nos assola desde o primeiro instante de nossa existência fora do útero. **Não é propriamente um instinto, pois nesse caso deveria estar ligado a processos genéricos e de repetição inevitável.** Porém, assemelha-se a um instinto porque se manifesta desde o primeiro momento e não necessita ser estimulado. Apesar de ser o subproduto de uma experiência traumática, para cuja superação todos nós carecemos de condições, transforma-se em fonte de importantes prazeres durante todas as fases de nossa vida. **Faz-nos sentir completos, nós que, desde o nascimento,**

Uma nova visão do amor
Flávio Gikovate

temos a sensação contrária, como se alguma coisa estivesse faltando. Apesar de ser o fruto da nossa limitação em superar a ruptura correspondente ao nascer, transforma-se, em nosso mundo interior, numa das coisas mais lindas e gratificantes que podemos vivenciar em qualquer etapa da vida. Aparece como a maior das dádivas, como algo que nos faz experimentar uma plenitude difícil de ser conseguida por qualquer outro meio. Queremos viver essa sensação de completude de todo modo e, para isso, estamos dispostos a grandes sacrifícios.

O preço que temos de pagar para experimentar a sensação de plenitude amorosa costuma ser bastante alto. Sim, porque também é da natureza do amor, em virtude de como ele se estabelece em nosso mundo interior, que seja vinculado à realização de nossas necessidades. Dessa forma, tende naturalmente a ser uma emoção possessiva e exclusiva. Fica difícil imaginar que uma criança possa, sem angústia e preocupação, dividir sua mãe com qualquer outra criatura. Um aspecto dominador, opressor e limitador da mobilidade da pessoa amada tenderá a se estabelecer e a se manifestar também nas ligações amorosas que observamos na idade adulta. **Podemos concluir que, se ele é o gerador de algumas das nossas maiores alegrias, também é responsável por uma grande dose de sofrimento e dor.** Isso sem falar do risco de sofrimento que paira sobre os que amam: uma eventual ruptura poderá provocar sofrimento similar ao que foi vivido com o nascimento. **A dor de morte, que mencionei antes, bem poderia ser chamada de dor de nascimento!**

2 dois

Amor *versus* individualidade

Não posso afirmar que nossas primeiras vivências tenham ocorrido da forma como as descrevi. Insisto no fato de que se trata apenas de uma possibilidade, que me parece atraente principalmente por nos ajudar a compreender o que acontece nos períodos posteriores de nossa vida. As boas hipóteses são aquelas capazes de explicar o maior número possível de fatos presentes na vida real das pessoas. São sempre modelos operacionais, sempre incompletos e quase sempre muito difíceis de ser comprovados de modo experimental. A respeito do amor, talvez um dia, não tão remoto, possamos saber coisas muito interessantes. Se pudermos ter crianças nascidas de incubadoras — o que não é mais pura ficção científica — e deixadas lá por bem mais do que os nove meses da gestação, que possam ver ao seu redor pessoas e objetos e ser estimuladas por eles sem ter de abandonar seu "útero artificial", que sintam efetivo desejo de sair de lá na hora em que isso lhes aprouver, talvez possamos considerar a "produção" de criaturas sem o trauma do nascimento.

Não seria impossível que esses seres estabelecessem relações interpessoais totalmente diferentes daquelas que conhecemos. Poderiam desconhecer o amor. Poderiam amar de uma forma completamente diversa da nossa. Muitos viverão o suficiente para ver isso acontecer. Aí sim poderemos saber se as hipóteses aqui defendidas correspondem efetivamente aos fatos. Até lá, serão simples ideias, que deverão dar lugar a outras mais abrangentes e mais competentes para explicar o que ocorre conosco.

Por enquanto, os bebês continuam nascendo totalmente despreparados para qualquer coisa que não esteja relacionada com sentir algum conforto — ao lado da mãe — ou vivenciar as dores físicas e o desamparo emocional. Essa situação perdura por quase todo o primeiro ano de vida, no fim do qual a criança finalmente tem condições para sustentar-se sobre as próprias pernas e, portanto, para andar. Já terá sido capaz de memorizar um número suficiente de palavras para se iniciar na arte da comunicação verbal, que, aos poucos, deverá substituir o choro e certas expressões faciais. Seu "computador" vai, com o tempo, acumulando quantidades crescentes de informação, de sorte a poder evoluir no que diz respeito ao estabelecimento de correlações entre pessoas e ações, entre as pessoas ao seu redor e os papéis que desempenham em sua vida, entre fatos que ocorrem em sequência etc. Ela vai, pouco a pouco, tendo acesso ao equipamento intelectual de que foi dotada.

Surge, de modo lento e gradual, a consciência daquilo que chamaremos de individualidade, ou seja, a criança vai, aos poucos, percebendo-se como figura desligada, independente da sua mãe. É provável que, ao longo do

primeiro ano de vida, ela seja incapaz de se reconhecer como tal. Ela seria uma extensão da mãe, uma parte dela, um pedaço seu, tal como aconteceu durante o processo de gestação. A criatura inexistia e vai passando a existir como parte do corpo materno. Aquilo que se chamou de nascimento psicológico corresponderia à conquista da compreensão da identidade pela criança, processo trabalhoso que só ocorre ao longo do segundo ano de vida extrauterina. Antes disso existe o nascimento físico, mas é provável que a criança ainda se perceba como continuidade da mãe, sentindo o que ela sente, sentindo-se inteira em seus braços.

Começa a observar o mundo que a cerca. Tem energia e disposição para tanto sempre que se sente razoavelmente aconchegada. É verdade também que a criança vai se sentindo cada vez mais à vontade no mundo, mais familiarizada com seus ruídos, cores, alternâncias e repetições. Passa a ser capaz de reconhecer pessoas e percebe que, ao sorrir para elas, é correspondida; sente-se, por essa via, menos solitária, mais integrada. A figura materna continua a ser fundamental — na ausência dela, costuma existir uma figura substituta em relação à qual se constitui idêntico elo; não creio que se possa demonstrar nenhum tipo de diferença no relacionamento de uma criança com sua mãe natural ou com uma que seja adotiva.

Mesmo quando a criança já está mais acostumada à vida extrauterina, a sensação de aconchego e paz estabelece-se de fato pela presença da mãe. Porém, come-

Uma nova visão do amor
Flávio Gikovate

çam a surgir importantes diferenças de conduta a partir do segundo ano de vida. Se, durante os primeiros tempos, o que mais interessa à criança é permanecer no colo de sua mãe, após certo desenvolvimento motor e intelectual ela começa a se sentir fascinada pelas coisas que a cercam. O que melhor exemplifica o que estou tentando descrever é a seguinte cena: **mãe e filho vão visitar alguém. A criança chega assustada e tímida, quer ficar grudada à mãe, abraçada em seu pescoço. Aos poucos, cercada por pessoas desconhecidas, vai relaxando e sentindo-se menos ameaçada naquela situação nova. Ousa sair do colo da mãe, seduzida por objetos que desconhece. Começa a mexer em tudo, a colocar tudo na boca, a destruir objetos com o intuito de tentar entender de que são constituídos, que gosto têm, que barulhos fazem. Fica serena e dá pouca atenção à mãe, contanto que ela esteja lá. Se porventura a mãe se levantar para ir ao banheiro, a criança interromperá imediatamente suas "pesquisas" e sairá correndo atrás dela. Sente-se segura para investigar o ambiente desde que a mãe esteja presente.**

Estar perto dela é mais importante do que tudo. Aos poucos, porém, vai deixando de ser a única coisa interessante. Continua a ser a mais relevante, mas já existem itens em segundo e terceiro lugares. Após certo desenvolvimento da razão, conhecer coisas novas vai se transformando em enorme fonte de prazer. É muito comovente, do meu ponto de vista, observar a expressão de alegria estampada no rosto de uma criança quando, finalmente,

Uma nova visão do amor

Flávio Gikovate

descobre o mecanismo de funcionamento, por exemplo, de uma caixa de música. Há um indiscutível prazer relacionado com o processo de aprender, de desvendar o mundo que nos cerca, de entender as correlações entre as coisas. À medida que as crianças vão crescendo, vão desenvolvendo também suas habilidades físicas. E são evidentes os sinais de alegria derivados dos progressos que conseguem fazer nessa área. Aprender a correr, a chutar uma bola, a usar talheres, tudo é progresso e fonte de prazer.

Alguns avanços nessa área do desenvolvimento motor são geradores de conflitos, que constituirão algumas das nossas maiores contradições. **Vamos considerar o exemplo do uso de talheres, cujo aprendizado permite à criança se alimentar sem a ajuda da mãe. Ela não pode deixar de ficar feliz por ter tido capacidade para empreender esse importante avanço pessoal. Porém, o que esse progresso significa? Significa que está se tornando menos dependente da mãe. Significa também que acabará por receber menor atenção por parte dela, que não mais colocará em sua boca todas as colheradas de comida, tal como fazia até então.** Aprender a comer por si só é uma grande conquista; entretanto, associa-se ao fato de que a maior independência da mãe é também um caminho para se distanciarem, afastarem-se um pouco. A maior independência gerará, inevitavelmente, um convívio menor com a mãe, que tenderá a se dedicar a outros afazeres — quando não a outros filhos.

Se a criança optar por ficar grudada à mãe, terá de amargar a dor de perceber seu desenvolvimento truncado — ou muito lento. Se persistir na rota do aprendizado e de sua progressiva independência, terá de vivenciar a dor de se afastar cada vez mais de sua mãe. **Num clima educacional adequado, o que deve ser mais estimulado é este segundo caminho, o da independência.** Desse modo, a criança vai, sempre paulatinamente, se familiarizando com outros tipos de aconchego, como sentir-se querida pelo modo como sua mãe a olha, pelos sinais de aprovação diante de suas atitudes mais independentes. A mãe estará estimulando e aprovando o crescimento do filho. **Ele poderá se sentir amado justamente pelo fato de estar sendo capaz de ficar cada vez mais tempo longe dela** — desde que a mãe esteja emocionalmente preparada para o crescimento de seu filho, fato não tão usual quanto gostaríamos. A criança aprenderá a decodificar sinais de aconchego novos, diferentes daqueles relacionados apenas com a intimidade física.

É pela via das demonstrações não-físicas de agrado que o amor vai se transformando em um fenômeno também intelectual ou, como se costuma dizer, espiritual. A criança poderá se sentir amada — sempre com o mesmo sentido de quando se sente aconchegada — ao perceber que sua mãe fica feliz e orgulhosa com suas conquistas. Poderá se sentir abandonada ao perceber o inverso: que sua mãe desaprova determinado comportamento. É por esse caminho que o amor vai se tornando um instrumento pedagógico. E também assim o amor poderá se transformar em instrumen-

Uma nova visão do amor
Flávio Gikovate

to repressivo e de dominação em épocas posteriores da vida. Ficar longe da mãe por algum tempo poderá provocar uma sensação de força, de competência. A criança poderá se sentir mais independente e se orgulhar disso, especialmente quando esse comportamento for estimulado pelo ambiente em que ela está sendo criada. Poderá sentir certa falta da mãe, e sua evocação — uso da imaginação para suprir a ausência — trará calor ao coração. Esse fenômeno será vivido como uma experiência agradável desde que não entrem em jogo dúvidas e desconfianças acerca do sentimento materno. Se a criança tiver confiança na sua mãe e no seu amor, terá maior facilidade em se afastar dela. Lembrar-se dela trará, como disse, uma sensação de calor; ela virá acompanhada de uma pitada de tristeza, além do orgulho íntimo por conseguir ficar só. **A essa complexa emoção costumamos chamar saudade.**

Estou tentando ater-me a determinadas situações específicas de nossas vivências infantis importantes para a descrição dos processos que aqui nos interessam. Não estou exageradamente preocupado com a ordem cronológica dos acontecimentos. O desejo de ser entendido e de comunicar o que me parece essencial é que está prevalecendo na escolha dos episódios marcantes de nossa história infantil. Poder imaginar uma situação ou uma pessoa ausente depende de uma grande evolução da razão, que, com o passar dos anos, torna-se capaz de ir além dos fatos que cada um pode observar. Vai se construindo um modo mais abstrato de operação do pensamento, condição in-

Uma nova visão do amor
Flávio Gikovate

dispensável para relevantes avanços. Associado a esse processo abstrato o amor consegue deixar de ser apenas físico. Descrevi a saudade como uma emoção delicada e até certo ponto agradável. Há outras situações, talvez mais radicais, em que ela aparece como muito amarga e dolorosa. É o caso, já mencionado, do distanciamento em situações nas quais a criança não está muito confiante nos sentimentos da mãe; nessas condições, o afastamento provisório poderá ser vivenciado como definitivo. Não é impossível que muitas mães, de modo consciente ou não, passem esse tipo de incerteza para seus filhos a fim de mantê-los dependentes e fracos.

O meu intuito, ao longo deste livro, é tentar apresentar com clareza as questões concernentes ao relacionamento afetivo adulto. Assim sendo, não me aterei ao complexo problema das relações entre mães e filhos. **Cabe registrar com ênfase, porém, que a imaturidade emocional e as dificuldades afetivas de muitas das mulheres que se tornam mães as fazem tão (ou mais) apegadas aos seus filhos quanto (do que) estes a elas. A complexa interdependência que se estabelece gera nelas uma tendência a se opor ao desenvolvimento da individualidade de seus filhos.** Em virtude de suas limitações e fraquezas pessoais, tratam de se posicionar a favor da tendência das crianças, que também está presente, de passar a maior parte do tempo em seu colo, dependentes delas para todo tipo de atividade, mesmo as simples, reforçando o que entendem por amor e sabotando o desenvolvimento da individualidade e da independência. São mães carinhosas e muito dedicadas, de modo que se torna difícil censurá-las. Na verdade, criam seus filhos de acordo com seus objetivos pessoais e não segundo aquilo que será bom para eles. E o fazem em nome do enorme amor que nutrem por eles.

Mesmo aquelas criaturas com bom desenvolvimento, num ambiente propício — ao mesmo tempo aconchegante e estimulador da independência da criança —, tendem a experimentar o afastamento mais prolongado de forma assustadora e bastante dolorosa. O exemplo mais comum desse processo em geral acontece quando a criança aceita o convite para passar o fim de semana na casa de um parente ou amigo. Durante o dia, em virtude de suas múltiplas atividades, as coisas costumam correr bem. Mas quando chega a hora de dormir, quando vêm o escuro e o silêncio, e não há mais nada de estimulante e concreto para pensar, surge a noção de como está longe de sua mãe. As tentativas para evocá-la e assim atenuar a falta que sua ausência determina costumam ser eficientes apenas por alguns minutos; **depois vem uma sensação de desamparo que comumente se transforma em desespero. Chamamos essa sensação de solidão. Ela vem acompanhada de uma saudade dolorosa e amarga.** Não há mais espaço para orgulho de espécie alguma; o único interesse da criança é tentar encontrar uma forma de voltar para perto da mãe. E sabemos que o mais comum é que isso acabe por acontecer.

O que é exatamente a solidão? Por que sentimos tamanho mal-estar quando nos vemos por nossa conta e risco, mesmo quando já somos adultos e podemos encontrar solução para qualquer dificuldade prática que nos ocorra? Com determinação e luta conseguimos progressos na construção da nossa individualidade, da nossa identidade, tornando-nos pessoas mais fortes. Depois de tudo isso, quando nos vemos sem grande atividade e longe de nosso objeto de amor — no caso das crianças pequenas, a mãe; no caso dos adultos, seus substitutos —, entramos em pânico, sentimos intenso mal-estar e todas as sensações negativas às quais damos o nome de solidão. Mesmo quando adquirimos competência prática e nossa individualidade já está em pleno e prazeroso exercício, ainda assim nos sentimos mal ao nos vermos sozinhos.

Aqui, o desrespeito pela cronologia, de modo a incluir os adultos no mesmo contexto, foi mais que proposital. **A verdade é que são pouquíssimas as pessoas que se sentem bem estando sós. Essa condição provoca-nos uma sensação de incompletude, de que algo essencial nos falta. Não temos, em hipótese alguma, a sensação de estar inteiros, completos e acabados quando estamos sozinhos.** É exatamente nesses momentos que podemos perceber com maior clareza essa sensação, que nos acompanha pela vida afora, de não ser uma unidade, e sim uma metade. No momento em que estamos sós, cria-se a condição ideal para que essa peculiaridade do nosso mundo interior seja percebida. Como a sensação é dolorosa, não são raras as criaturas que evitam a qualquer preço as ocasiões de solidão.

Uma nova visão do amor

Flávio Gikovate

Há anos uso um termo específico para descrever o que sentimos: **é como se tivéssemos um "buraco" na região do estômago. O "buraco" é o indicador de nossa incompletude. Sim, porque ele desaparece quando nos aproximamos da pessoa amada, com a qual nos completamos e nos sentimos inteiros. A ideia do poeta de que "é impossível ser feliz sozinho" certamente deriva da percepção do "buraco" e do fato de que é muito difícil livrar-se dele, a não ser pelo acoplamento à criatura amada.** Teremos oportunidade de voltar várias vezes a esse assunto fundamental no decorrer do livro. Não posso deixar de antecipar, porém, que um erro grosseiro que costumamos cometer é confundir essa sensação com fatos definitivos e inexoráveis. Eu mesmo, na defesa que fazia do amor romântico na década de 1970, partia do princípio de que o "buraco" era algo próprio de nossa natureza e de que as pessoas só poderiam resolver sua situação por meio do encontro amoroso. O amor seria, segundo esse ponto de vista, a única solução para a sensação de incompletude — e, portanto, para o "buraco" — que nos maltrata.

O que estou tentando adiantar é o seguinte: sentimos o "buraco" e temos a impressão de que não somos uma unidade, e sim uma metade, algo que só poderá se completar mediante um encontro especial, que chamamos de encontro amoroso. O fato de termos essa impressão não significa que essa seja a verdade. Muitas são as impressões que temos e que só deveriam ser tratadas como verdades depois de comprovadas de fato.

Uma nova visão do amor
Flávio Gikovate

Não podemos confundir uma sensação íntima com uma verdade definitiva, com um imperativo biológico. Ela pode ser fruto de uma experiência traumática, que nos marcou de modo muito profundo. Uma experiência de rejeição, por exemplo, pode nos fazer alimentar sentimentos de inferioridade por longos anos, ou até pela vida toda. Isso não poderá ser confundido com o fato de nos sentirmos inferiores. A tese que defendo é similar: a transição vivida no nascimento nos marcou profundamente, de sorte que em nós sobrou a noção de que aquela sensação de plenitude e completude só poderá ser alcançada por meio de algum tipo de ligação simbiótica. **O "buraco" corresponderia a uma espécie de "cicatriz umbilical psíquica", um resíduo derivado da traumática vivência do ato de nascer. Sentimo-nos como se fôssemos uma metade, mas a verdade é que somos inteiros, inteiros que se sentem metades!**

Com o desenvolvimento da razão, a partir do segundo ano de vida, os caminhos na direção da individualidade e da independência aparecem como gratificantes e muito benéficos para a autoestima da criança. Ela gosta de se perceber capaz tanto física como intelectualmente; orgulha-se de cada nova conquista, de sua crescente habilidade de se locomover e de controlar o meio ambiente. A criança vai, paulatinamente, tomando posse do seu *habitat*, familiarizando-se com as pessoas, os animais e as coisas. Gosta disso e, ao exercer sua inteligência e suas crescentes capacidades, segue para uma autonomia cada vez maior. De repente, per-

Uma nova visão do amor
Flávio Gikovate

cebe que esse caminho a afasta da mãe, que passa a lhe dedicar cada vez menos atenção. Surge um obstáculo inesperado, pois ficar longe da mãe provoca nela uma sensação muito dolorosa de incompletude e desamparo. Tentará encontrar fórmulas conciliatórias de todo tipo, sendo a mais comum a de tentar atrair a mãe para junto de si enquanto realiza as atividades do seu interesse. Por exemplo, tentará fazer a mãe acompanhá-la ao clube para que possa se dedicar às práticas que a estão atraindo e, de vez em quando, irá para perto dela, para beijá-la e se certificar do seu amor.

Apesar de todos os esforços da criança para conciliar a vontade de aconchego por meio da proximidade física com a mãe amada e o desejo de exercer sua individualidade e suas consequentes atividades prazerosas, fica claro que existe um antagonismo mais ou menos irreconciliável entre essas duas tendências. Por não nos sentirmos inteiros, queremos ficar perto da nossa "metade". Porém, queremos exercer nossa inteligência na prática das atividades que nos encantam, que é o objetivo da nossa individualidade. A outra "metade" nem sempre está disposta a fazer as mesmas coisas que nós — até porque não é, de fato, nossa "metade", portadora de gostos iguais. **Está criado um dilema, talvez um dos maiores que nos assolam ao longo de toda a vida: amor *versus* exercício da individualidade. Conforme nossas condições interiores de autoconfiança, a fase da vida em que estamos, nossa capacidade de conviver com o "buraco", o encantamento que determinada pes-**

soa nos provoca, ou conforme tantas outras coisas às quais nos ateremos posteriormente, surgirá em nosso comportamento uma resultante que nos conduzirá essencialmente na direção do amor ou do exercício da nossa individualidade.

Tenho me referido apenas ao antagonismo, até certo ponto inevitável, entre essas duas peculiaridades de nossa subjetividade. É evidente que, na prática, as coisas complicam-se muito, uma vez que outros ingredientes contribuem para o processo. Apenas para citar o mais expressivo, nossa insegurança pessoal pode nos levar a usar o fato de estarmos unidos a uma pessoa por laços amorosos como argumento que nos outorgue o direito de impor limites ao exercício da sua individualidade. Sempre que nos sentimos ameaçados — isto é, quando tememos perder o amor da pessoa — tendemos a comportamentos similares aos que os nossos pais tiveram durante os anos da nossa formação: nós a ameaçamos com o desinteresse amoroso caso ela queira agir de uma forma que desaprovamos; e desaprovamos porque não estamos de acordo com dada conduta ou porque ela nos ameaça de algum modo. **O antagonismo entre amor e individualidade torna-se, assim, mais grave e complexo. Individualidade passa a simbolizar liberdade, e o antagonismo se estabelece entre amor e liberdade.**

3
três

O fator antiamor

Há mais de trinta anos que estou convencido da existência de uma forte oposição, presente em quase todos nós, ao tão desejado encontro amoroso pleno. Para as pessoas que nunca chegaram perto da realização deste que é um dos nossos maiores sonhos, a afirmação sempre pareceu leviana e sem sentido. Como é possível existir uma resistência ao alcance justamente do que mais desejamos? Parece mais uma dessas desnecessárias complicações que os profissionais de psicologia querem incutir na já conturbada mente das pessoas. A obra que introduziu essa reflexão foi o já citado livro de Igor Caruso, cujo título é bastante significativo: *A separação dos amantes*. Apesar das diferenças de opinião a respeito das razões para a separação, o que era — e ainda é — indiscutível é que, na maioria dos encontros amorosos intensos, os amantes apaixonados não se casam. Na verdade, separam-se e vivem uma terrível e prolongada dor. Enfrentam essa dor, que é um dos maiores sofrimentos conhecidos, mas não encaram os obstáculos referentes ao processo de consumar a relação.

Ao longo dos séculos, do mesmo modo que nos tempos atuais, a maioria das histórias de envolvimento

Uma nova visão do amor
Flávio Gikovate

amoroso intenso ocorre na vigência de impedimentos externos. Esse foi o primeiro ingrediente que me chamou a atenção, ainda nos anos 1960. Afinal de contas, por que a paixão ocorre quando existem tantos obstáculos externos e não acontece entre duas pessoas livres e disponíveis? As explicações tradicionais falavam do nosso fascínio pelo proibido, da tendência desses encantamentos de reproduzir os triângulos amorosos infantis, e assim por diante. Não gostaria de desprezar essas hipóteses. Contudo, o privilégio de ter acompanhado o desaparecimento de todos os grandes obstáculos externos levou-me a pensar na existência de outro ingrediente muito importante, relacionado ao nosso mundo interior. A verdade é que, mesmo quando o divórcio ficou mais fácil, quando os pais não mais se sentiram no direito de oferecer oposição radical a casamentos de seus filhos que os contrariassem, quando as mulheres se tornaram economicamente independentes, os casais de apaixonados continuaram sendo incapazes de transformar seus sentimentos em alianças afetivas e duradouras.

Os obstáculos externos perderam vigor e ainda assim as pessoas que se amam intensamente não conseguem ficar juntas, a não ser na condição de amantes. Elas se apegam aos problemas objetivos — filhos, posição social, dinheiro — com obstinação indevida. Não estou, de modo algum, desprezando esses elementos; apenas não consigo ver neles a força que lhes é atribuída. Isso porque tais questões não costumam impedir a separação dos casais que já não se amam, a não ser quando um dos dois vai atrás do "grande amor". Se a separação conjugal, evento sempre difícil e traumático, se der porque as pessoas querem ficar sozinhas ou se um dos dois quiser se casar com alguém por quem não esteja apaixonado, então o divórcio costuma acontecer com mais facilidade. **Não pude me furtar a uma tendência de atribuir menor importância aos fatores externos e a pensar que eles escondem obstáculos internos dos quais não tínhamos ciência.** Isso ficou claro para mim em 1977, quando, no livro *O instinto do amor*[5], escrevi um capítulo chamado "O medo do amor".

A paixão é uma sensação muito intensa e complexa. Ela costuma ser vista como algo maravilhoso e é muito buscada pelas pessoas, ao menos como sonho. **Corresponde ao encontro amoroso de pessoas muito parecidas, que se entendem com facilidade, comunicam-se pelo olhar e sabem o que está acontecendo com a outra pelos mínimos detalhes de suas expressões faciais.** As afinidades determinam uma emoção muito mais forte do que quando existem marcadas diferenças entre as pessoas que vivenciam o encantamento amoroso. **Surge mesmo uma tendência para a fusão, para que os dois se tornem "uma só carne". A sensação de completude e plenitude é máxima.** É algo extraordinário, de sorte que quem chegou a viver tal sensação dela se lembrará para sempre como uma das melhores experiências vividas. Mesmo que o processo global da

---

5 *O instinto do amor*. São Paulo: MG, 1977.

paixão seja extremamente rico em dores e mágoas de todo tipo, as pessoas não costumam se arrepender de tê-la vivido, tamanho o prazer experimentado nos momentos de plenitude.

Acontece que, associada a essa sensação de completude e felicidade, existe outra emoção vivenciada com igual intensidade: o medo. A pessoa apaixonada mal consegue alimentar-se; dorme poucas horas e desperta como se estivesse num campo de batalha, já lépida e pronta para outro dia de angústias e incertezas. Não consegue pensar em outra coisa que não seja o amado e para onde irá o relacionamento. Não aguenta ficar mais do que algumas horas sem se comunicar com ele e saber se ainda é amada, se os projetos continuam de pé. **Pessoas apaixonadas não conseguem imaginar um modo de viver uma sem a outra. É incrível que uma criatura, até há pouco tempo neutra, de repente se transforme num ser vital para outra. A dependência é idêntica à de um bebê em relação à sua mãe, como se pode constatar com facilidade pelos diálogos e vocabulário usado por alguns casais:** "Eu não consigo viver sem você, meu fofinho", "Prometo que nunca vou te abandonar, minha lindinha".

A grande verdade é que a quantidade de sofrimento relacionado com o processo de paixão é muito maior do que a de momentos de prazer e harmonia. As pessoas sofrem por medo de abandono, por ciúme, por suportar mal as longas horas de separação, por ignorar o destino de uma relação que se tornou essencial

e indispensável, por sentir que uma coisa tão boa não possa durar muito tempo. Alguns se dão conta do grau absurdo de dependência que estão vivenciando, como se estivessem totalmente "viciados" na outra pessoa, incapazes de se imaginar longe dela sem a terrível dor idêntica à que os drogados sofrem quando não podem ter acesso ao seu objeto de dependência. De uma forma ou de outra, **os sofrimentos e os medos associados ao amor acabam saindo vitoriosos, de sorte que o resultado final, na esmagadora maioria dos casos, é a separação dos que se amam.** Vivem o gosto amargo de uma derrota, de não terem tido a coragem necessária para ousar perante um futuro incerto. Acabam optando pelo passado pouco atraente, mas conhecido e não apavorante.

É interessante registrar que foi justamente na paixão, ou seja, no processo de encantamento amoroso mais intenso, que se pôde perceber mais nitidamente a presença de um marcante elemento impeditivo de sua consumação. Nas situações extremas, tudo acontece sob uma lente de aumento, de modo que podemos destacar mecanismos que estão sempre presentes, embora de forma mais discreta e sutil. **A grande síntese que posso fazer, depois de acompanhar milhares de histórias de relacionamentos afetivos, consiste na afirmação de que existe em todos nós um enorme anseio pela fusão romântica e de que também existe em quase todos nós um ingrediente interno que se opõe a esse desejo. A esse ingrediente estou chamando de fator antiamor.**

Uma nova visão do amor
Flávio Gikovate

O primeiro componente do fator antiamor se torna mais ou menos óbvio se levarmos a sério o antagonismo que existe, desde o segundo ano de vida, entre o desejo de nos agarrarmos à figura materna e aquele que nos impulsiona para a pesquisa e o desvendamento do meio externo. Nossa individualidade vai se constituindo e dela vamos tirando prazer crescente, pois aprender provoca intensa satisfação. **Ficamos para sempre divididos entre o prazer determinado pela sensação de aconchego e aquele derivado do livre exercício de nossa identidade.** A harmonia derivada do estabelecimento de posteriores vínculos amorosos compete com o desconforto da percepção de limitações à nossa liberdade, impostas pelos vínculos mencionados. Isso acontece principalmente porque o modo como estabelecemos as ligações amorosas nas fases posteriores da vida não se distingue muito daquele que um dia adotamos na relação com nossa mãe. Dessa forma, o amor "adulto" é, de fato, tão exigente e possessivo quanto o que existe durante a infância. Não há como não haver oposição interna a esse processo que, em tantos aspectos, é extremamente regressivo.

O segundo ingrediente constitutivo do fator antiamor é muito fácil de ser compreendido. Relaciona-se com a tendência de usarmos nossa razão com o objetivo de evitar situações de sofrimento. Conhecemos, pelas nossas vivências infantis, a intensidade da dor associada ao afastamento amoroso. Conhecemos, por experiências adultas anteriores, a dimensão da "dor de amor". O medo que se fixa em nós é o responsável por uma atitude bastante cautelosa com respeito ao estabelecimento de novos elos. **O medo do sofrimento relacionado com uma eventual ruptura do vínculo amoroso leva-nos a uma tendência contrária ao amor, tendência essa que só não é suficiente e definitiva em virtude do enorme anseio que existe em nossa subjetividade de que, de novo, venhamos a experimentar o aconchego e a harmonia que um dia foram nossa razão única de ser.**

É verdade também que uma boa parte das pessoas desenvolve um medo maior do que o anseio romântico, tornando o amor inviável. Em virtude do modo como nossa mentalidade avalia essa emoção, tais pessoas envergonham-se de se apresentar socialmente como incapazes de amar. Encontram, como veremos com mais detalhes adiante, um meio de se colocar como criaturas integradas mediante o estabelecimento de elos nos quais se sentem amadas em vez de amarem. Usam os mesmos termos românticos que as outras pessoas, mas sentem as coisas de modo bastante diverso. Isso acontece exatamente com aquelas criaturas com menor tolerância à dor e às frustrações em geral. Tendem a apresentar comportamentos egoístas, não por serem espertas, mas em decorrência dessa fraqueza para com o sofrimento, cuja causa ainda não somos capazes de entender completamente. Nesses casos, portanto, predomina o fator antiamor sobre o desejo amoroso.

O terceiro ingrediente constitutivo do fator antiamor é mais sutil, e só tomei conhecimento dele, de

modo claro, em 1980. No livro *Em busca da felicidade*[6] escrevi um capítulo chamado "O medo da felicidade", que, de certa forma, substituía o que havia chamado, anos antes, de "O medo do amor". O tema era novo e esse território só havia sido parcialmente visitado por alguns autores norte-americanos que falavam do "medo do sucesso". Haviam percebido que muitas pessoas fugiam do sucesso porque isso lhes provocava um inexplicável pânico. Minhas observações vieram do estudo do amor e, em particular, das histórias de paixão que continuavam a se multiplicar, sempre com o mesmo final de dor e separação dos que se amavam. **Aí também era mais que evidente a existência de um medo difuso, impossível de ser localizado, de que a sensação de felicidade amorosa acabasse por trazer consigo algum tipo de catástrofe; exemplo disso é a seguinte frase, muito comum: "Não é possível que isto dure; está bom demais". Então despontam os rituais de proteção contra as desgraças e a inveja das pessoas — uso de amuletos, costume de bater na madeira etc.**

Não é intuito deste livro aprofundar o entendimento do medo da felicidade. Vale apenas a observação de que, provavelmente, ele exista também em decorrência da experiência traumática do nascimento. Estávamos no útero, confortáveis e aconchegados, e esse era o nosso único registro cerebral. De repente, a hecatombe, o início das dores do parto e do nascimento, sendo esse o

---

6 *Em busca da felicidade.* São Paulo: MG, 1981.

nosso segundo registro cerebral. Ao se estabelecer uma correlação entre esses dois registros, sempre que experimentamos o primeiro — o da harmonia — já começamos a nos preparar para a suposta chegada do segundo — a tragédia, agora vivida como perda ou morte. Apesar de todos os contratempos relacionados à situação amorosa do encontro com o outro, experimentamos uma sensação de bem-estar e completude extraordinariamente gratificante. A paz é encantadora e assustadora ao mesmo tempo, pois a vivenciamos como prenúncio de grande tragédia, como se uma desgraça estivesse a caminho. O que fazemos? Como regra, nós mesmos damos um jeito de encontrar algum empecilho de modo a provocar um arranhão naquele estado idílico. Tendemos a estragar parte da nossa felicidade com o objetivo de nos proteger contra um mal maior. Se o amor romântico bem-sucedido determinar grande medo da felicidade, acharemos um meio de provocar uma briga com a pessoa amada, de provar que ela não é alguém tão confiável assim, ou então trataremos de atribuir aos impedimentos externos o peso de um obstáculo impossível de ser transposto. Dessa forma, livramo-nos da plenitude romântica com o intuito de evitar uma tragédia maior. **Não é impossível que esse seja o mais importante ingrediente do fator antiamor. Se não for o maior, é o mais sutil, o mais difícil de ser detectado e, talvez por isso mesmo, o mais eficaz em seus efeitos negativos sobre a realização amorosa.** É como se a pessoa estivesse abrindo mão do amor em favor de preservar a vida — sua vida ou a de um ente querido.

Podemos acrescentar um componente mais racional como constitutivo do fator antiamor. Ele está relacionado com todas as observações que formos capazes de fazer acerca das possibilidades de sucesso, a médio e longo prazos, do relacionamento que agora pretendemos estabelecer. Dessa forma, uma avaliação criteriosa das eventuais diferenças socioculturais, econômicas, etárias, considerando a existência de filhos derivados de relacionamentos anteriores e suas características, além da ponderação a respeito da desaprovação de parentes significativos, bem como do sofrimento que poderá ser causado em outras pessoas em virtude do novo relacionamento, costuma se constituir num exercício sadio da razão, ao tentar definir o encontro amoroso e suas possibilidades de longa vida. Tais reflexões poderão conduzir a um resultado negativo, tornando--se, assim, mais um elemento contrário à consumação desse encontro.

Gostaria de insistir no fato de que a existência de dificuldades objetivas tais como as descritas aqui não deveria ser usada para camuflar ou esconder outros ingredientes relacionados com o fator antiamor. Um dos truques que costumamos usar, com o intuito de melhorar nossa autoimagem, que pode ficar prejudicada pela possibilidade de nossa decisão ter sido baseada no medo, consiste em atribuirmos peso decisivo a esses fatores objetivos mesmo quando isso não é obrigatório ou verdadeiro.

Uma nova visão do amor
Flávio Gikovate

Existe um bom número de pessoas, talvez mais mulheres do que homens, que parecem não contar com o fator antiamor. Essas criaturas se lançam na aventura amorosa de modo rápido e irresponsável. Não se interessam em verificar as condições objetivas nas quais pretendem que se estabeleça o romance, tampouco se informam sobre a disponibilidade da pessoa eleita para o papel de amada. **Tais indivíduos, vorazes e precipitados, são tidos como pessoas que "amam demais". Seu comportamento, como regra, determina a imediata retração do parceiro, que, se possuía algum interesse, agora o perde por completo. Isso acontece em virtude de essa conduta assim tão apressada provocar o aumento dos medos do outro, reforçando, portanto, seu fator antiamor.**

Tais relacionamentos entre pessoas que se entregam dessa forma irresponsável e outras que tenham os costumeiros medos do amor seguem um curso previsível e extremamente repetitivo. Isso pode ser verificado tanto na análise das várias experiências de uma mesma pessoa como na comparação entre diferentes pessoas portadoras da mesma característica. Seus parceiros ficam inicialmente encantados por causa da rápida entrega; no caso particular de ser a mulher quem "ama demais", ela costuma, justamente em razão dessa peculiaridade, envolver-se total e imediatamente, entregar-se sexualmente de forma muito intensa, o que em geral agrada muito aos homens. Porém, logo depois se torna demasiado exigente de companhia e atenção, pois passa a

Uma nova visão do amor
Flávio Gikovate

apresentar todas as especificidades das pessoas apaixonadas, cuja dependência é máxima. O outro, que não se encontra em igual estado de espírito, assusta-se mais do que o usual — sim, porque a aproximação afetiva sempre provoca o surgimento do fator antiamor — e tende à imediata retração e ao total afastamento.

O resultado, até certo ponto, é patético: justamente aquelas pessoas mais disponíveis para o mergulho romântico são as que quase sempre estão sozinhas. Assim, não raro ficam extremamente deprimidas, até mesmo porque não conseguem entender as razões que levaram uma relação tão promissora à rápida e definitiva deterioração. Não contam com o freio, que os outros possuem, contra o amor e nem sequer são capazes de entender sua existência. Temos muita dificuldade de entender mecanismos psicológicos que não vivenciamos. Por não entendermos o que se passa com o outro, tendemos à repetição idêntica do processo na situação seguinte, cujo final será o mesmo. Acabamos por nos sentir pior, menos interessados e pouco competentes para despertar o amor do outro, o que não é verdadeiro. Nesses momentos de quase ausência do fator antiamor, não compreendemos que, além de provocar o encantamento, também provocamos o rápido crescimento do fator antiamor no outro, que, por causa disso, não pode deixar de se afastar. São histórias bem tristes, que muitas vezes desembocam em dramáticas depressões e trágicas tentativas de autodestruição.

O amor e a razão

Desde que comecei a estudar as peculiaridades do amor e escrever sobre elas, tenho deparado com a afirmação de que o tema não está aberto para tal estudo. Ouvi que o amor era emoção para ser sentida e não entendida. Também me disseram que era assunto para poetas e músicos, e não para psiquiatras. É como se o tema tivesse de ser preservado, deixado livre de qualquer tipo de entendimento racional, sob pena de perder seu encanto. Não acho que seja à toa que as pessoas temam a intromissão da reflexão nos fenômenos afetivos. De fato, temem que haja certa perda da magia derivada de não entendermos as causas determinantes, por exemplo, de um envolvimento sentimental. Se formos capazes de dar explicações lógicas a todos os processos afetivos, talvez eles sejam vividos de modo mais banal, mais simples e mesmo desprovidos de grandeza e beleza.

A tarefa é, pois, espinhosa. Sim, porque muitas das suspeitas e temores acabarão por se confirmar. Aos poucos, e bem lentamente, tratarei de mostrar que o amor não é essa maravilha que os poetas louvaram. Aliás, já comecei a fazê-lo, ao definir o fenômeno e mostrar sua correlação óbvia com os acontecimentos iniciais da vida.

Uma nova visão do amor
Flávio Gikovate

Está claro também quanto o amor adulto tem de infantil. Isso vale inclusive para a paixão, tida como a mais emocionante das manifestações afetivas, aqui definida como amor associado a forte medo — o coração bate por causa do medo e não por amor. Além do mais, desmascarar certas peculiaridades das relações afetivas poderá trazer graves prejuízos a um grande número de pessoas que se beneficia da ingenuidade de outras tantas com o intuito de explorá-las em causa própria. Refiro-me àqueles que, estando impedidos de amar por não suportarem os riscos de uma eventual dor relacionada à perda, usam o fato de despertarem a emoção em outra pessoa para obter vantagens de todo tipo.

A resistência ao desvendamento das peculiaridades do amor vem, portanto, de todos os lados. **Os poetas e as criaturas de boa vontade não podem imaginar uma vida atraente e rica sem que essa emoção possa agir livre, solta e indiscriminadamente** — o que deixará de acontecer à medida que formos compreendendo suas características e seus mecanismos de ação. Introduzir a reflexão racional a respeito do amor significará, quase que forçosamente, tirar o véu de encantamento que as pessoas, as coisas e as ideias possuem apenas quando as observamos a distância. Olhar de perto significará dar ênfase também aos seus aspectos negativos, suas dores e seus problemas. Significará detectar suas desvantagens, o preço que pagamos para ter suas gratificações. **As pessoas que não amam e se beneficiam dos belos sentimentos dos que são capazes de amar serão as maiores** opositoras ao pleno entendimento do fenômeno porque têm privilégios a perder. Tentarei, pois, andar bem devagar ao longo destas páginas, pisando em ovos, com o intuito de ser delicado e respeitoso com os sentimentos dos que estão me acompanhando.

No decorrer de toda a vida experimentamos algum tipo de sensação de incompletude quando estamos sozinhos. Poucas são as pessoas que conseguem evoluir a ponto de se sentir completas quando não estão próximas de alguma criatura especial, objeto do seu amor. As que são capazes disso são aquelas que estão sem parceiro há bastante tempo; ou então as que, por reflexões religiosas, estabeleceram algum tipo de elo cósmico ou com uma divindade específica. **Caso essas pessoas que conseguem ficar muito bem sozinhas passem um bom tempo com uma companhia afetiva, podem perder todo o treinamento que desenvolveram a respeito da arte de viver só. É como se a pessoa voltasse a se viciar no processo de se aconchegar e tirar do convívio o preenchimento para o buraco com que todos contamos, desde o nascimento. Depois de certo tempo vivendo consigo mesma, a pessoa torna-se muito mais competente para encontrar outros tipos de aconchego; porém, bastam poucos dias de convívio para que o velho padrão de conduta se instale novamente.** É como ocorre com o cigarro: se o ex-fumante colocar um na boca, tenderá a muito rapidamente voltar ao seu velho ritmo de fumar o dia todo.

Os temas da solidão, da busca de parceiros sentimentais e do casamento estão na mente de todas as pessoas em quase todas as fases da vida — talvez com um pouco menos de intensidade a partir dos 60 anos, principalmente no caso das mulheres. As pessoas pensam sobre esses assuntos e empenham-se para ser capazes de realizar seu sonho de encontrar um parceiro maravilhoso e com ele viver "um grande amor". É evidente que existem muitos sonhos e devaneios em torno do tema, em especial durante os anos da mocidade. A verdade é que, de um modo ou de outro, as pessoas pensam sobre o assunto. Usam suas experiências de vida para imaginar qual seria o seu parceiro ideal e o que deveria ser feito para chegar até ele. O fato de a maioria das pessoas não ter sucesso na transformação dos seus sonhos e desejos em realidade não significa que não tenham se empenhado nesse sentido. Não é verdade, pois, que o amor é um fenômeno que ocorre fora do domínio da razão. O mais provável é que a maioria das pessoas não pense de modo adequado a respeito do assunto. Quando pensamos de modo equivocado, chegamos a resultados equivocados. **A grande frequência de resultados equivocados nos processos de encantamento amoroso deve ter sido um dos motivos que levaram as pessoas a achar que o fenômeno amoroso era desprovido de lógica e de qualquer tipo de bom senso. Meu raciocínio dirigiu-se exatamente ao lado oposto: se são tão poucos os encontros amorosos bem-sucedidos e de boa qualidade — segundo os critérios das próprias pessoas envolvidas —, devem existir razões bem definidas para que as coisas aconteçam assim.** Se as escolhas se dessem por mero acaso, cerca de 20% dos casais, digamos, teriam estabelecido uma ligação acertada. Se os fatos nos dizem que o número é muito inferior a esse, então devem existir causas definidas — e racionais — para que as escolhas sejam feitas de modo tão inadequado. **Foi trilhando esse caminho que acabei por considerar a hipótese da existência do fator antiamor, presente em quase todas as pessoas.** Também supus que esse fator interferisse de modo muito peculiar, determinando escolhas inadequadas, ainda que desejadas.

Pode parecer estranho que uma pessoa venha a desejar um relacionamento amoroso com alguém que não lhe pareça ideal. Tais caminhos da razão são tortuosos, mas estão longe de ser irracionais. Apenas como exemplo, que tem por objetivo introduzir a questão de como escolhemos as pessoas que amamos, se imaginarmos uma criatura extremamente generosa, capaz apenas de dar e totalmente incompetente para receber, ela só poderá se vincular a outra que seja egoísta, totalmente competente para receber e sem condição alguma para dar de si o que quer que seja. Do contrário, terá de abrir mão do seu modo de ser generoso. Não se pode dizer que uma pessoa assim tenha feito uma escolha adequada ao se unir a uma que seja egoísta. Será explorada por ela o tempo todo, o que, com o passar do tempo, será motivo de irritações e desencadeará o processo de separação. **Há anos afirmei que a maioria dos casamentos termina exatamente pelas mesmas razões que lhe deram origem: as diferenças de temperamento e de caráter.**

Uma nova visão do amor
Flávio Gikovate

Acontece que os ingredientes presentes nesse tipo de equívoco cometido por grande parte das pessoas podem perfeitamente ser detectados; são todos de natureza racional, ainda que não tenhamos tido consciência plena deles no processo de encantamento amoroso. **Por não percebermos os aspectos racionais de modo claro e por existirem outros ingredientes menos racionais, somos levados a pensar que todo o processo é irracional. De fato, elementos ligados ao instinto sexual podem interferir na escolha amorosa. Há, além do elemento sexual, outro fator difícil de ser descrito, um "algo mais" que algumas pessoas possuem — aos nossos olhos — e que interfere na nossa escolha amorosa.** Mas não é só esse o caminho. Talvez esse "algo mais" defina a escolha entre aquelas criaturas eleitas pelos critérios da razão. Define, no exemplo anterior, que pessoa egoísta aquele generoso escolherá. Porém, o generoso não escolherá, em hipótese alguma, uma criatura como ele, uma vez que isso implicaria enormes modificações íntimas relacionadas com o fim do seu modo de ser generoso.

Nas vezes em que ressalto o caráter racional da escolha amorosa, sempre encontro um ar de desconfiança e descrença. As pessoas detestam essa hipótese envolvendo o sentimento que sempre é visto como mágico e inexplicável. Acho que o que é percebido como mágico é o fato de uma pessoa, inicialmente neutra, de repente se transformar em única e indispensável, alguém que nos provoca a sensação de que estivemos juntos a vida inteira. Esse é um aspecto interessante do fenômeno, tão digno

Uma nova visão do amor

Flávio Gikovate

de perplexidade quanto o seu inverso; ou seja, ao encontrarmos, depois de algum tempo, alguém a quem já deixamos de amar, deparamos com um ser humano comum e ficamos nos perguntando como pudemos nos sentir tão unidos a ele, por que o víamos como alguém tão especial e insubstituível. **Parece, à primeira vista, que o amor é mesmo o produto da flechada do Cupido, cuja pontaria é duvidosa e pouco racional. Mas é só a aparência do fenômeno. Talvez gostemos de nos apegar a essa hipótese até mesmo para que a ela possamos atribuir nossas escolhas tão inadequadas. Seríamos, por esse ponto de vista, menos responsáveis por nossos encantamentos amorosos e também por nossos erros.**

Não é hora, ainda, de me estender a respeito dos ingredientes racionais que envolvem a escolha amorosa. Porém, alguns deles terão de ser apontados sob pena de ficar vazio o meu argumento. Começo pelo mais relevante, que é o da existência do fator antiamor. Esse medo que temos de um envolvimento amoroso muito intenso não se manifesta apenas nos casos de paixão, em que é tamanha a tendência para a fusão das duas criaturas que o medo pode se transformar em pânico. Na maioria dos casos, e sem que nos apercebamos, tendemos a nos encantar com pessoas que não nos despertem tão intensa emoção, justamente para que o fator antiamor não seja acionado, levando-nos à fuga e ao afastamento daquela determinada pessoa.

Como é que fazemos isso? Encantamo-nos por aqueles que possuam certa dose de qualidade e tenham

também certo número de defeitos. **As qualidades nos atraem e nos levam para junto da pessoa. Os defeitos nos irritam e nos levam para longe. As qualidades provocam a admiração e determinam o encantamento amoroso. Os defeitos nos afastam, satisfazendo, assim, os desígnios do fator antiamor. Se não existissem os defeitos, provavelmente o encantamento seria intenso demais e tenderíamos a fugir. Aborrecemo-nos com os defeitos da pessoa amada, mas precisamos deles.** Pedimos que se modifique, mas ela sabe que não deve fazê-lo, pois isso poderia levar ao fim do relacionamento. Em uma frase, podemos dizer que nos encantamos com uma pessoa que nos leva a sentir aconchego e amor, mas com quem não ficaremos grudados a ponto de ofender demais nossa individualidade, e não nos provoque felicidade suficiente para desencadear os processos destrutivos relacionados ao medo que esse estado nos causa.

Parece-me oportuno registrar outro exemplo da interferência da razão nos mecanismos envolvidos na escolha amorosa. Costumamos nos encantar por pessoas que despertem nossa admiração. Pessoas muito tímidas não gostam do seu modo de ser e tendem a admirar — e se encantar por — pessoas mais extrovertidas e desinibidas. **Uma autoimagem negativa tende, pois, para o encantamento por alguém que seja o nosso oposto. Na mocidade é essa a regra, e quase todos os envolvimentos dão-se por essa via. As dificuldades práticas de convívio entre pessoas muito diferentes são óbvias, de modo que esses namoros — e também os casamen-**

tos que daí resultam — costumam ser tumultuados e cheios de brigas. São relacionamentos difíceis, mas estabelecidos segundo critérios racionais de admiração. Aliás, nada mais falso do que a afirmação de que primeiro é necessário que amemos a nós mesmos para que depois possamos amar alguém. O exemplo citado mostra que, como regra, não costumamos estar bem com nós mesmos. Fosse esse o caso, tenderíamos a amar alguém com modo de ser semelhante ao nosso. O que é mais provável é exatamente o oposto: quem está bem consigo pode até mesmo prescindir do amor!

Nada existe em nós que não faça parte também dos nossos processos racionais. As exceções, poucas, residem nos temas que nós mesmos não suportamos e remetemos aos porões do inconsciente. Ainda assim, retornam vez ou outra por meio de sonhos e de outras vias. A razão participa de tudo. Algumas vezes o faz de modo tímido, como se estivesse se envolvendo em áreas que lhe são proibidas. É o caso do amor, em que se tornou inadequada e indevida a interferência da reflexão. É curioso que assim seja, pois a verdade é que o amor está comprometido com a resolução das nossas necessidades práticas desde o nosso primeiro dia de vida.

Nossa mãe, primeiro objeto de amor, é também aquela que nos proporcionará todos os cuidados dos quais carecemos. Ela satisfará, além do nosso desejo de harmonia, todas as outras necessidades práticas que porventura venhamos a ter. A fusão dos dois papéis é tal que a grande maioria dos homens sentirá

Uma nova visão do amor
Flávio Gikovate

como uma prova de amor, na vida adulta, o fato de sua mulher cuidar de sua roupa, sua comida etc. Para as mulheres, o processo não é tão imediato; porém, por meio de certos tipos de gentilezas práticas e gestos de proteção, sentem o mesmo que os homens quando são paparicados com cuidados que tanto apreciavam durante os anos da infância. **No amor, parece que tudo que lembra a infância faz grande sucesso.**

Além de nos encantarmos, também sentimos maior admiração por pessoas que nos tratam de modo respeitoso e carinhoso. Essa frase é lógica e faz sentido, porém não é sempre verdadeira. Aprendemos que o amor está acima dessas reflexões, de sorte que podemos amar alguém que nos maltrate e nos faça sentir diminuídos e humilhados. Quando conversamos com alguém que se encontra nessa situação e perguntamos por que afinal tolera tudo isso, a resposta que ouvimos é: "Acontece que eu a amo e estou disposto a tolerar tudo em nome desse sentimento". É evidente que as pessoas que sentem isso preferem achar que o amor não é um fenômeno racional; caso contrário, teriam de se submeter a uma rigorosa autocrítica para avaliar as razões que a levaram a aceitar esse tipo de cativeiro. A expressão "Eu te amo" parece explicar tudo que é inexplicável. Essa não é, felizmente, a verdade. Se considerarmos a existência em nós do fator antiamor, é bastante provável que a pessoa necessite desses maus-tratos para não se sentir ameaçada demais pela fusão romântica.

Talvez em virtude desses processos de humilhação que podem atingir grande parte das pessoas generosas

Uma nova visão do amor
Flávio Gikovate

em alguma fase de sua vida é que elas tenham concluído que o amor é um fenômeno irracional e sem lógica no que diz respeito aos critérios de escolha dos parceiros. Talvez não tenham tido consciência do fator antiamor ou de seu poder de influência sobre o processo de escolha. Além do mais, acabam desenvolvendo certo orgulho por serem suficientemente fortes para tolerar tais adversidades. A vaidade faz que se sintam superiores por tanto tolerarem, ainda mais por tudo se dar em nome da sublime emoção do amor.

Quando pudermos tratar essa emoção com naturalidade, sem ter de considerá-la uma forma de expressão das divindades, poderemos exercer com menos pudor nosso lado racional e agir mais de acordo com nossos interesses. A tradição que nos foi passada defende o pensamento de que amor e interesse estão em oposição. Aprendemos que é muito feio ser interesseiro, o que não significa nada mais do que agir segundo o próprio interesse. Ser romântico é ser bom, ao passo que ser interesseiro é ser grosseiro e materialista. Apaixonar-se por um parceiro agradável e adequado acaba sendo visto como indicativo de interesse. Assim, só poderíamos ter certeza de tratar-se de amor verdadeiro se a pessoa vivesse mal e tivesse enormes prejuízos no relacionamento. É impossível imaginar absurdo maior; no entanto, esse é o caminho que nos foi ensinado. A quem interessa tão grosseiro equívoco? Alguém tem de lucrar com isso.

O amor e o casamento

1
um

O amor "pede" casamento

Os anos da infância correspondem ao período no qual os processos de individuação evoluem, desde que a segurança afetiva esteja presente. O desejo amoroso prevalece sobre o anseio de se tornar independente, e nem todas as famílias estimulam as crianças ao crescimento. Em caso de dúvida, a maioria das crianças opta pelas garantias sentimentais. Na ausência destas, tendem ao desespero paralisante e improdutivo. É minoritário o grupo que, ao se perceber sem o amparo sentimental necessário, mobiliza forças para tentar se equilibrar em meio às dificuldades da vida real. Os membros desse grupo, pequeno mas não desprezível, têm garra e não raramente são os que se tornam vencedores no jogo da vida, apesar de terem tido condições de crescimento extremamente inadequadas. Foram chamados de *super kids* pelos norte-americanos exatamente por isso: em vez de se tornarem fracos e desprotegidos, transformaram suas adversidades em vigor pessoal e competência para lidar com todo tipo de dor física e moral.

A adolescência inicia-se com o surgimento das alterações corporais derivadas do aumento da concentração dos hormônios sexuais. Surgem diferenças corporais

Uma nova visão do amor
Flávio Gikovate

marcantes e visíveis, que definem os sexos, além de problemas novos, dilemas muito difíceis de ser resolvidos e aos quais só nos referiremos de passagem porque estão mais ligados ao instinto sexual, que, como sabemos, não é parte essencial do fenômeno amoroso. Também existe uma gama enorme de novos problemas, bem como o agravamento de outros que já nos eram familiares. **O antagonismo entre o desejo amoroso e a ânsia de sermos independentes torna-se mais agudo pois, de repente, sentimos que esperam de nós uma postura cada vez mais livre e responsável. Nós, que durante os anos da infância devíamos ser bem-comportados e pouco ousados, agora devemos ser capazes de assumir o leme do nosso destino. Temos de começar a pensar na independência econômica, na escolha de uma profissão, em uma maneira de sermos totalmente independentes um dia.** Já afirmei antes e o faço de novo aqui: isso é o que deveria acontecer, todavia em muitos lares o objetivo parece ser o de garantir que os filhos jamais tenham forças ou interesse para partir para uma vida de aventura que não inclua seus pais, avós e irmãos.

Em condições mais apropriadas, porém, o que existe é uma expectativa crescente de que o jovem se afaste de seu núcleo de origem e parta para o convívio com pessoas de sua idade e que tenham os mesmos interesses. **Nos primeiros anos da adolescência os laços afetivos se estabelecem entre os que integram o mesmo "bando".** As turmas tendem a substituir o núcleo familiar, de modo que a intimidade passe a ser compartilhada mais com os amigos do que com os pais. Há um crescente distanciamento entre criaturas que, por mais de uma década, viveram muito unidas. As dores são inevitáveis, em ambas as partes. Não há como ser diferente e é por isso que insisto tanto na ideia de que ser forte significa ter competência para lidar com as dores e frustrações inexoráveis da vida. Quem não o for terá o seu desenvolvimento emocional estagnado no ponto em que a dor não puder ser suportada. Será o obstáculo a ser superado, sob pena de estancar sua evolução.

Pais e filhos se afastam cada vez mais ou, pelo menos, deveriam fazê-lo. Isso gera nos filhos — e não raro nos pais, dependendo da situação de sua vida emocional — um vazio que, como disse, se preenche pelo convívio com o grupo de amigos. O momento é delicado também do ponto de vista sexual, pois o forte desejo que surge nos rapazes e a excitação que toma conta das moças têm de ser mais bem domesticados antes que possam chegar às vias de fato. **Há, portanto, grande entusiasmo provocado pelo instinto sexual, e esse impulso determina o agravamento da sensação de solidão que os rapazes e moças experimentam a partir do afastamento de seus pais. Sim, porque as vivências sexuais costumam ficar restritas às trocas de carícias que, como regra, desembocam na masturbação, trazendo consigo um sentimento de vazio e de isolamento. Além disso, o sexo está, desde o início de suas manifestações infantis, comprometido com os processos de independência e de construção da individualidade; dessa forma, seu**

exercício sempre tenderá a levar a maior consciência da nossa singularidade.

O apoio emocional dos amigos da turma vai se tornando insuficiente, de modo que, juntamente com as fantasias sexuais, surgem os primeiros desejos de natureza romântica. É importante registrar que eles costumam ser posteriores aos anseios exclusivamente sexuais. Talvez entre os 12 e os 15 anos predominem os sonhos e desejos eróticos tanto nos rapazes como nas moças. A partir dessa idade a sensação de vazio começa a prevalecer e aí é que surgem, a exemplo do que viram nos filmes e leram nos livros, os desejos de natureza mais claramente romântica. Adolescentes de ambos os sexos trancam-se em seu quarto e passam a se imaginar totalmente encantados por outra pessoa, cuja presença encheria sua vida de sentido e cuja companhia provocaria aquela adorável sensação de estarem inteiros, completos, em harmonia. O sonho é encantador e nele tudo são flores. Aliás, a paisagem ideal para tais devaneios é mesmo a campestre, de modo que eles se imaginam passeando, de mãos dadas, por lindos bosques, sentando na grama para se beijar e fazer as tradicionais juras de amor eterno. Os sonhos românticos não são muito criativos. Copiam sempre esses estereótipos que vemos nos filmes a que costumamos assistir.

Passando por cima de todos os detalhes, o que acontece durante os primeiros anos da adolescência é um desvio do ponto de equilíbrio do dilema entre o amor e a individualidade na direção desta última. Isso

determina uma clara sensação de incompletude quando nos vemos mais sozinhos, processo que ativa o surgimento dos devaneios de natureza amorosa. Busca-se agora um novo ponto de equilíbrio, talvez mais próximo daquele que predominou durante a infância, tendo, porém, como objeto do amor figuras novas, e não as originais. Tendemos a nos afastar de nossos pais porque temos de dar continuidade ao nosso processo de individuação, e depois não conseguimos suportar a dor do desamparo que, nessas condições, sentimos. Tentamos então encontrar novos objetos de amor que não estejam em antagonismo com os nossos anseios de independência, para que possamos atingir nossos objetivos.

Podemos dizer, portanto, que os objetos de amor que se sucederão ao longo de nossa vida serão sempre substitutos dos objetos primários, nossos pais — e, em especial, nossa mãe. Isso não significa obrigatoriamente que buscaremos pessoas que tenham alguma semelhança com a figura deles. Essa hipótese, que teria derivado de algumas observações de Freud, disseminou-se de forma grosseira e vulgar. Realmente não creio que qualquer ingrediente fundamental daquilo que se procura num parceiro seja buscado por essa causa. **Pode ser que uma ou outra preferência por este ou aquele aspecto físico tenha alguma relação com a imagem que temos de nossa mãe ou de nosso pai. A concepção de que os amores adultos substituem os elos originais é bem mais genérica e diz respeito ao fato de que, mesmo em idades avançadas, continuamos a buscar a sensação**

de harmonia e completude na relação com outra pessoa, que se torna ímpar e insubstituível.

É longo o período em que apenas sonhamos com o encontro amoroso. Ele dura meses ou mesmo alguns anos. Não raro, a figura amada ganha um rosto: de algum astro do cinema, de uma vizinha distante, de algum colega de classe muito cobiçado por todas as outras moças, ou mesmo de uma prima distante ou amiga de parente nossa. Não ousamos confessar nossos sentimentos a não ser para algum amigo muito chegado e confiável. Não falamos mais sobre esses assuntos com nossos pais e irmãos, pois o caminho da independência passa por um distanciamento e certo antagonismo em relação a eles. As fantasias eróticas seguem uma rota própria, na maioria das vezes não se imbricando com os devaneios românticos — talvez isso seja um pouco diferente para as moças. Em geral, no caso dos rapazes, experiências sexuais eventuais ocorrem com pessoas que não têm nada que ver com o universo das fantasias amorosas.

O que está acontecendo? Uma solução engenhosa que costumamos dar a muitos dos nossos antagonismos: vivemos uma das partes na realidade e a outra na fantasia. Vivemos a continuação do nosso caminho na direção da independência e da autonomia e sonhamos com a fusão romântica que, se fosse realidade, certamente seria entrave para os avanços necessários na rota da liberdade. Além do mais, nesse momento ainda estamos muito vinculados à família, bem como ao grupo de amigos e colegas. Essa é uma parte da contradição.

Uma nova visão do amor
Flávio Gikovate

A outra reside no fato de morrermos de medo de experimentar uma relação afetiva no plano da realidade. Temos muito medo de ser rejeitados, por isso não ousamos nos declarar à pessoa amada. **Morremos de medo de ouvir um "não", o que muito nos humilharia.**

Morremos de medo também de ouvir um "sim", pois isso nos conduziria ao efetivo relacionamento com outra pessoa, para o qual não temos preparo algum. Tanto isso é verdade que se a pessoa que é objeto dos nossos sonhos românticos dá sinais de reciprocidade imediatamente nos desinteressamos dela. Amamos desde que não sejamos correspondidos, desde que não tenhamos de abandonar o mundo da fantasia. **A passagem do amor do mundo dos sonhos para a realidade esbarra no poderoso fator antiamor, que nessa fase da vida é muito mais intenso do que o desejo amoroso.** Esse fator engloba, como sabemos, uma gama de temores muito intensos, ligados à perda da individualidade, à repetição das dores de perdas amorosas que já foram sentidas em relação aos pais, além do medo da felicidade e da inveja.

Com o passar dos anos, os medos atenuam-se naquelas pessoas que conseguem um significativo progresso na capacidade de tolerar frustrações e outras dores psíquicas. Naquelas que não conseguem essa evolução, o fator antiamor predominará ao longo da vida. Poderão usar termos típicos do romantismo, mas não sentirão as emoções correspondentes; como empregam as mesmas palavras que os verdadeiros amantes, tendem a enganar seus interlocutores, especialmente nos anos da mocidade. **Os que conse-**

Uma nova visão do amor
Flávio Gikovate

guem evoluir sentem, com a diminuição do peso do fator antiamor, um desejo cada vez maior de estabelecer um vínculo afetivo real. Estão prontos para o primeiro namoro. Acredito que as coisas nos acontecem tão logo estejamos prontos para elas, ou então pouco tempo depois de estarmos. Se não ocorrem antes, é porque não estamos realmente preparados, mesmo quando pensamos estar e nos impacientamos com a lentidão dos acontecimentos — de fato, a própria impaciência é um indício de que não estamos suficientemente maduros!

Os primeiros namoros, quando surgem mais cedo, em torno dos 14 ou 15 anos, aparentemente se estabelecem de modo aleatório, ou seja, tanto entre semelhantes como entre opostos. A impressão que tenho é de que os ingredientes de natureza sexual e aqueles relacionados com as facilidades práticas — ser vizinho, colega de classe, primo — acabam sendo os mais importantes fatores a interferir na escolha da parceria. Alguns desses relacionamentos, mesmo entre criaturas afins, evoluem para o casamento e são responsáveis por boa parte das poucas ligações de qualidade que encontramos entre pessoas casadas. O fator antiamor ainda não está em ação na sua versão mais sofisticada nessa fase inicial, mais irresponsável e ingênua, da adolescência. A época é perigosa, pois os jovens tanto podem ousar em relacionamentos amorosos de todo tipo — inclusive os mais intensos e de melhor qualidade — como ousar ao experimentar drogas e se apegar a elas mais do que gostariam ou deveriam. Nessa primeira fase, especialmente com os que têm menos medo, tudo pode acontecer.

Uma nova visão do amor

Flávio Gikovate

A maioria desses namoros termina mais ou menos rápido e quase sempre alguém sai machucado da relação, sentindo-se rejeitado e abandonado. As próprias vivências, bem como aquelas que acompanhamos na vida dos nossos amigos, vão nos dando consciência dos perigos que envolvem o amor. **Os medos, materializados no fator antiamor, reaparecem com todo o vigor. No início, eles eram fortes e determinaram as vivências românticas fantasiosas. Depois, atenuaram-se muito e permitiram as primeiras aventuras na realidade. Os resultados dolorosos derivados dessas experiências os trazem de volta de modo categórico.** Ao mesmo tempo que o fator antiamor reaparece, surge com mais força o anseio de natureza amorosa. Ou seja, as primeiras experiências reais deixam também uma lembrança bastante agradável de aconchego e prazer — até mesmo porque são coloridas com traços sexuais muito interessantes. Torna-se forte o desejo de amar. Forte também é o medo de amar.

Nesse contexto, não há mais clima para dar a um dos polos do dilema o destino da fantasia. Os anseios de individualidade, que em parte são desejos e em parte correspondem a crescentes exigências impostas pelo meio externo, pedem existência real, porque é assim que nos estabelecemos como pessoas na comunidade em que vivemos. O amor também quer se expressar na realidade, pois a fantasia não provoca as agradáveis sensações que agora já foram vivenciadas, havendo o desejo de que se repitam e, se possível, perpetuem-se e tornem-se um estado. O que fazer? A saída engenhosa, já mencionada no

Uma nova visão do amor
Flávio Gikovate

capítulo anterior, consiste em encontrar um parceiro com o qual tenhamos algumas afinidades mas também uma grande dose de diferenças, de modo a provocarem um encaixe suficientemente precário para que nossos desejos de identidade não sejam muito prejudicados.

A solução torna-se mais engenhosa ainda se levarmos em conta que ela oferece uma boa saída para toda a contradição que existe entre o amor e o fator antiamor. Este cresce à medida que nos aproximamos demais da outra pessoa, pois tendemos a fundir-nos a ela, diluir-nos e descaracterizar-nos. A sensação romântica é também extraordinária e perigosamente prazerosa, além de ser geradora de enorme medo de abandono e perda. Se pensarmos que as afinidades nos aproximam de modo perigoso da outra pessoa e as diferenças — que, para uso próprio, chamamos de defeitos — determinam um afastamento e certa irritação, concluímos que necessitamos tanto delas quanto das coisas que nos encantam. **De acordo com nossa coragem para a aproximação amorosa e com a dimensão do nosso fator antiamor, estabeleceremos um relacionamento em que estará presente uma dose maior ou menor de afinidades e diferenças. Maiores afinidades determinam uma relação mais forte e mais intensa, ao passo que maiores diferenças implicam maior distanciamento, mais atritos e atitudes mais reservadas de um para com o outro.**

Nossa mente engenhosa não para por aí. Se tivermos, por exemplo, enorme desejo de mergulhar em intensa aventura romântica, poderemos nos apaixonar

Uma nova visão do amor
Flávio Gikovate

fortemente por alguém cujo fator antiamor seja predominante, de sorte que essa criatura não terá nenhuma capacidade para, de fato, entregar-se. **Viveremos um grande amor, porém unilateral. Terá muitas das características do amor fantasioso, com a vantagem de o objeto amado existir na vida real. É verdade que em geral ele está longe de ser o objeto desejado e que vivemos nos frustrando com sua displicência ou com sinais de rejeição. Mas não faz mal, porque alimentamos a esperança de que, um dia, as coisas mudarão; acreditamos que o nosso amor será forte o bastante para acabar vencendo as resistências do outro e que um dia seremos correspondidos.** Já disse que aquele que não ama também usa os vocábulos próprios do discurso amoroso, existindo, aparentemente, dois modos diferentes de amar. Quase todo mundo já ouviu a duvidosa frase: "Eu te amo, sim; entretanto, o meu modo de amar é diferente, eu amo do meu jeito".

A solução é extremamente conveniente também para aquele que não ama, para quem os aspectos ligados ao jogo de interesses são predominantes. Onde reina o fator antiamor existe uma personalidade de natureza mais egoísta e fraca — ou seja, com pouca tolerância às frustrações. Para o egoísta, o conveniente é ser amado, pois isso lhe trará as vantagens práticas e materiais necessárias para a sua sobrevivência emocional. Ser amado, ter alguém dedicado a si, é do seu máximo interesse. O egoísta fará de tudo para perpetuar essa situação, da qual retira ingredientes muito oportunos. Tratará de dar indicações de que, de fato, um dia, será capaz de amar o generoso do modo como este o faz. **O arranjo acaba sendo conveniente para ambos: o generoso ama e o egoísta trama.**

O relacionamento descrito, que, como já citei, corresponde ao que Erich Fromm chamou de ligações sadomasoquistas — o sádico equivale ao egoísta e o masoquista é o generoso —, acaba sendo o tipo mais comum. Casais de namorados assim constituídos se transformarão na maioria dos que se casarão. É difícil fazer afirmações de caráter numérico, mas penso que esse tipo de relacionamento entre pessoas essencialmente diferentes corresponda a mais de 90% dos casamentos que se dão entre pessoas na faixa etária dos 20 anos. Embora o número tenda a decrescer após essa idade e se torne um tanto menor nos segundos casamentos, esses relacionamentos continuam sendo os mais frequentes; seria de esperar que as pessoas tivessem aprendido mais com suas próprias vivências dolorosas.

Muitas das pessoas que vivem esse tipo de relacionamento amoroso — será que deveríamos chamá-lo assim? — têm relações de amizade bastante ricas e gratificantes, tanto com pessoas do mesmo sexo como do sexo oposto. Diversas vezes já lhes perguntei por que não experimentar namorar um amigo, de modo que a intimidade pudesse fluir mais facilmente e sem brigas, cobranças e sem tanto ciúme. Perguntava porque queria saber o que as impedia de ter interesse amoroso por pessoas por quem elas mesmas afirmavam ter profundo carinho, respeito e admiração. A resposta que ouvi centenas de vezes, vinda de jovens inteligentes e preparados, era algo como: "Ah, o fulaninho e eu não temos nada que ver; somos só amigos, não há nenhum tipo de tesão entre nós". Sempre me impressionou essa afirmação de serem "só" amigos, como se isso fosse pouco e encontrar alguém a quem se possa confiar todo tipo de intimidade fosse fácil.

A grande verdade é que aqui se apresenta mais um importante ingrediente tumultuador das relações entre os sexos: o desejo erótico parece ser mais intenso entre pessoas que se desentendem e brigam por qualquer coisa do que entre as que se respeitam e se dão bem. Uma das coisas a respeito do tema que mais me impactaram foi a constatação que fiz, talvez em 1990, de que o sexo não só não está muito comprometido com o amor como tem correlação fortíssima com a agressividade. Ou seja, o desejo sexual anda junto com a raiva, e não com o amor. O homossexual masculino pode ter sido, ao longo de sua infância, humilhado por seus colegas, desenvolvendo um importante sentimento agressivo em relação a eles, que são o objeto do seu desejo sexual. Não tem nada contra as mulheres; gosta delas, mas não as deseja. Os homens heterossexuais podem ter sido humilhados pelo fato de, no início da puberdade, terem um desejo intenso pelas mulheres e não serem por elas correspondidos. Dão-se bem com os homens e são agressivos e revoltados contra as mulheres, que são também o seu objeto de desejo. No caso de muitas mulheres essa correlação pode não ser tão direta ou tão explícita. Porém, naquelas que se embelezam, fazem-se atraentes e depois se recusam às intimidades sexuais com seus parceiros existe uma óbvia hostilidade, relacionada com o prazer de magoá-los por meio de uma provocação sexual que não redundará em nada.

De todo modo, a correlação entre sexualidade e agressividade fica mais que evidente nos palavrões, termos sexuais usados com intuito agressivo. São do agrado de ambos os sexos, em especial nas situações eróticas propriamente ditas. A correspondência entre o sexo e o amor pode, seguindo o preceito em voga em nossa cultura, existir em um bom número de mulheres — menor do que se pensa, pois uma boa parte das criaturas de ambos os sexos não tem coragem para amar. Porém, nos homens existe uma tendência para a correlação inversa, qual seja, a do amor de grande intensidade provocando inibição da função sexual. **Estamos diante de mais um elemento do que tenho chamado de fator antiamor: a vida sexual é mais fácil e mais desinibida quando não existe amor, ou pelo menos quando não há grande intensidade sentimental. O exercício da plenitude sexual é mais fácil quando o elo sentimental é mais frouxo. Assim se explica a afirmação tão frequente entre jovens amigos que não conseguem se enxergar como namorados, uma vez que não sentem nenhum tipo de desejo sexual associado ao prazer e à intimidade intelectual.** Essa parece ser mais uma razão a impulsionar as pessoas na direção de escolhas menos afins, que poderão ser, ao menos na aparência, sexualmente mais ricas e atraentes, em virtude do fato de que as irritações e a raiva provocarão a dose necessária de agressividade para que tudo corra bem nessa área.

Uma nova visão do amor
Flávio Gikovate

Espero que as questões estejam ficando bem claras, especialmente quanto a sempre existirem dois ingredientes envolvidos: o desejo de amar e o fator antiamor. A solução que se dá a esse dilema determinará o tipo de relacionamento amoroso que será estabelecido. A saída mais comum corresponde à união entre indivíduos suficientemente diferentes no modo de ser e viver, de sorte que, mesmo que exista o desejo do pleno mergulho na direção da fusão romântica, ele será impedido pelas circunstâncias e pelo modo de ser do parceiro. De fato, existe ainda mais um componente interessante nessa solução que propõe a ligação amorosa com uma pessoa em quem predomina o fator antiamor: aparentemente, a fusão não se estabelece apenas por causa do parceiro que não tem coragem para amar de verdade. Surge uma divisão, tão comum nos casais, que consiste em atribuir uma parte do dilema a cada um dos membros.

O mais generoso e mais capaz de amar — mas não a ponto de amar alguém que o ame de fato — fica no papel do que ama, do porta-voz do amor. O mais egoísta, em quem predomina o fator antiamor, representa todos os componentes antagônicos ao romantismo, expressando-se de modo mais claramente prático, racional e materialista. **Um fica com o lado romântico da dualidade e o outro representa o individualismo e o pragmatismo que não têm nada que ver com a noção oficial de amor que nos ensinaram. A verdade é que o egoísta adoraria ter coragem para amar e o generoso morre de inveja do senso prático e da competência para o usufruto das coi-**

sas materiais que o egoísta possui. Cada um ficou com um pedaço da sua própria verdade, projetando no outro a parte contraditória e para cujo exercício é menos competente. Mas ambos possuem os dois ingredientes, que apenas foram separados para atenuar os conflitos internos. Essa é mais uma vantagem desse tipo de ligação.

A variedade de ligações possíveis é pequena, de modo que existem relacionamentos nos quais em um se expressa o amor, enquanto no outro manifesta-se o fator antiamor, que é o mais comum. Às vezes, a união se dá entre duas pessoas com o fator antiamor predominante, duas criaturas essencialmente egoístas. São relacionamentos instáveis, cujo ingrediente sexual costuma ser muito intenso. A instabilidade cria-se em virtude do temperamento explosivo próprio das pessoas com pouca competência para lidar com as contrariedades da vida e as inevitáveis concessões que a convivência exige. Raramente chegam a transformar-se em vínculos conjugais, pois o namoro tumultuado se interrompe mais ou menos rapidamente; só se torna matrimônio quando existem fortes interesses de outra natureza — em geral, de ordem econômica — envolvidos na história. A outra possibilidade seriam justamente as alianças em que predominaria o amor em ambos os membros, com menor fator antiamor. Teremos oportunidade de nos dedicar a elas nos itens 3 e 4 deste capítulo. Esse é o aspecto mais fascinante do nosso tema, pois corresponde ao sonho romântico de todas as pessoas. Tratarei de mostrar como as coisas acontecem na vida real, em que ocasiões os sonhos se confirmam e em que momentos nossas melhores ideias esbarram em obstáculos práticos inesperados.

Retomo a observação de que a esmagadora maioria dos namoros que evoluem para o casamento na faixa etária dos 20 aos 30 anos se estabelece entre pessoas bastante diferentes, nas quais o medo do amor está atenuado pelas próprias desigualdades. Elas geram certa insatisfação e algumas frustrações, mas também a coragem necessária para o estabelecimento de compromissos duradouros. O equilíbrio interno entre o amor e o fator antiamor, não raramente transformando um membro do casal naquele que ama e o outro no ser mais prático e menos sentimental, determina uma convicção de que tudo está bem encaminhado quanto à possibilidade de realização do sonho do casamento. **A nossa cultura, ao sugerir que os opostos se atraem e que isso é bom, funciona como mais um indicador de que estamos indo pelo caminho certo. Não resta a menor dúvida de que, ao menos na mocidade, os opostos se atraem. Porém, isso não significa que a união que daí derivar será bem-sucedida. Uma coisa é haver atração e outra é o convívio ser gratificante.** Aliás, para ser um pouco mais rigoroso, é preciso que as pessoas parem de fazer comparações com o mundo inanimado: o fato de polos magnéticos antagônicos se atraírem nada diz a respeito da natureza das relações amorosas entre os humanos!

O casamento aparece como um sonho, algo que sempre desejamos que sucedesse conosco. Até hoje, quando pergunto a um jovem quais são os seus maiores devaneios,

Uma nova visão do amor
Flávio Gikovate

ouço com frequência: "Casar e ter filhos". Para os rapazes as coisas estão um pouco mudadas e já é razoável o número dos que não encaram a questão dessa forma. De todo modo, é importante que nos apercebamos de que talvez existam aí dois ingredientes distintos: um deles diz respeito ao nosso anseio de reproduzir exatamente o núcleo familiar no qual fomos gerados — agora apenas em um papel diferente — e o outro corresponde a uma pressão cultural muito forte para que nos casemos e reproduzamos o padrão no qual se alicerça nossa vida social.

O tema se encerraria por aqui se estivéssemos vivendo antes dos anos 1960. Agora, porém, as coisas são bastante diferentes e é perfeitamente possível que nos perguntemos se, de fato, temos o interesse e o desejo de casar; além disso, se temos de nos casar nessa faixa etária dos 20 anos ou se podemos pensar nisso mais para a frente. Em relação aos mais jovens, tenho observado que alguns já começam a refletir e ponderar sobre a questão. **Aqueles que estão bem instalados vivendo como solteiros, tanto os que convivem em harmonia com seus pais como os que vivem bem sozinhos, estão entre os que mais pensam sobre as vantagens e os problemas relacionados com o ato de se casar. É o início de uma nova era, de uma nova etapa da nossa história, na qual o casamento deixou de ser uma necessidade imperiosa para se transformar em uma opção de vida. Está deixando de ser vergonhoso pensar racionalmente sobre a questão, que antes deveria ter uma solução meramente sentimental.**

As pessoas que aí estão, já adultas, ainda foram educadas com a ideia de que o casamento é imperativo, inevitável, uma realização pessoal e também dos pais, que veem assim seus esforços recompensados. O mesmo vale para a reprodução, pois ainda é muito difícil aceitar uma mulher que assuma não ter o menor desejo de ser mãe. Mesmo que seja uma ótima pessoa, será malvista apenas por causa dessa postura. As pressões externas são tantas que fica impossível sabermos até que ponto o desejo de constituir família é nosso ou nos foi incutido pelo meio em que vivemos. Aprendemos que o amor é bom e o casamento é excelente, sendo melhor ainda a chegada das crianças, frutos sempre desejados da união. De algumas décadas para cá, aprendemos que o casamento se estabelece por amor, novidade que chegou como grande avanço, já que até então se dava por arranjos entre as famílias dos noivos. Se o jovem ama e está na idade em que deve se casar, não pode deixar de sentir que o amor "pede" o casamento.

Esse jovem terá de ser parte de uma minoria que começa a refletir de outra forma para que não se encaminhe depressa demais para essa rota, a qual parece ideal e ao mesmo tempo inevitável. Se não perceber que está sendo vítima de um condicionamento cultural antigo — que hoje não tem mais razão de ser —, tenderá a repetir impensadamente o padrão tradicional; o mais grave é que terá a impressão de estar agindo por vontade própria. Caso isso aconteça, será uma pena, pois estará abrindo mão de um dos grandes privilégios desses novos tempos.

O casamento entre pessoas diferentes

dois

A união entre criaturas opostas em relação a vários aspectos da vida resolve, conforme já pudemos entender, os dilemas em nós criados pela existência de uma tendência para a fusão romântica e outra que a ela se opõe. O equilíbrio entre a existência de certa dose de qualidades determinantes do encantamento amoroso e de certa dose de defeitos capazes de frear esse mesmo encantamento é necessário para que a maioria das pessoas se disponha a estabelecer um vínculo afetivo estável. Ou seja, aquilo que entendemos como defeito é tão essencial para o estabelecimento da aliança afetiva quanto as peculiaridades que admiramos e entendemos como qualidades. Estas estão a serviço do amor, enquanto os defeitos satisfazem os anseios do fator antiamor. Quando o equilíbrio atingido é satisfatório para um casal de namorados, surge a ideia do matrimônio. É nesse ponto da história que têm a certeza de que foram feitos um para o outro. Sentem-se em concordância com o padrão cultural predominante, que vê nas complementações o grande ingrediente de sucesso dos vínculos conjugais.

As qualidades determinam grande atração; os defeitos são os responsáveis pela água fria na fervura do relacionamento. **Além disso, os defeitos, que são, de fato, as diferenças, ainda são percebidos como complementos adequados para a vida em comum. É como se um fosse a panela e o outro a tampa. Os defeitos do outro são exatamente aquilo que está faltando em si mesmo.** Se o outro for exageradamente extrovertido e sociável, isso será desagradável e irritante; mas será, ao mesmo tempo, algo muito bem-vindo porque atenuará a timidez e a introversão do primeiro. Se o outro for demasiado agressivo e descontrolado em situações de violência, isso será ruim por um lado e muito bom por outro, uma vez que encobrirá a pouca capacidade de reação e a excessiva docilidade do parceiro. Ao mesmo tempo que pode ser irritante, para uma pessoa que adota um estilo de vida mais espiritualizado, ter de conviver com um parceiro muito materialista, isso é bom porque os itens práticos também serão considerados, ainda que, aparentemente, só para agradar à pessoa amada. As diferenças atenuam a intensidade do elo sentimental, satisfazendo também os requisitos do fator antiamor. Além disso, parecem muito convenientes do ponto de vista prático, pois a aliança trará para cada um deles exatamente aquilo que lhes falta. Não há a menor dúvida de que esse é o caminho certo. As concepções que nos foram ensinadas dão a bênção final à aliança, apesar de, não raro, os pais dos noivos não estarem tão satisfeitos assim. Já se casaram de acordo com critérios similares e sabem quais problemas eles terão de enfrentar. De todo modo, é propriamente assim que se dão quase todas as alianças matrimoniais. Um dos cônjuges ama com mais intensidade e de modo mais visível aos que convivem com o novo casal. O outro parece preferir ser paparicado, cobiçado e amado a ter uma postura ativa. Este se sente menos envolvido, o que acaba não sendo verdadeiro, pois com o tempo ambos estarão mais intimamente ligados do que poderiam pretender. Mesmo para aqueles em quem predomina o fator antiamor, o convívio determina o hábito de manter um relacionamento íntimo com alguém, de modo que acabam por se apegar mesmo quando não é essa a sua vontade.

Pronto. Estão casados e em condições de iniciar a vida em conjunto, compartilhando os mesmos espaços e projetos. Aí começam a surgir as primeiras dificuldades, pois algumas diferenças podem ser muito úteis em certos momentos, mas bastante penosas em outros. Por exemplo, o convívio de uma pessoa perfeccionista com outra mais desorganizada e bagunceira é muito difícil e tenso, especialmente se o que é apegado à ordem for também pouco tolerante às frustrações, fato comum. Tenderá a reagir com violência e grosseria sempre que as coisas não estiverem de acordo com sua vontade. Aos poucos vai aparecendo a submissão de um aos desejos do outro. Um dos dois, como regra aquele que é mais tolerante e paciente, tratará de fazer todas as concessões necessárias para o bom andamento da relação. Não é verdadeira a afirmação de que ambos tendem a fazer concessões de modo igual. O que costuma acontecer é que um passe a dar as ordens e o outro as acate.

Uma nova visão do amor
Flávio Gikovate

Outras diferenças, relacionadas com hábitos de higiene, horários para dormir e para acordar, o modo de se movimentar na cama e os roncos, também exigem adaptação trabalhosa e desgastante, de sorte que os primeiros meses da vida em comum costumam ser bem menos divertidos do que o esperado e muito diferentes do que se imagina. Aliás, as coisas já começam a se complicar, por esse ponto de vista, durante a lua-de-mel, que também está longe de ser, na realidade, parecida com aquilo que se sonha e se conta aos amigos, mesmo os mais íntimos. Quase sempre as adaptações relativas às pequenas e às grandes coisas seguem a mesma rota: o mais tolerante vai se adaptando e fazendo as concessões necessárias para que o casal possa viver junto. **O mais egoísta não tem nenhuma dificuldade em fazer todo o possível para que tudo saia de acordo com sua vontade. O mais generoso tende a abrir mão do que seria direito seu e sente-se orgulhoso dessa capacidade de renúncia em nome do amor.** Apesar das discussões iniciais, um tanto inesperadas e mais violentas do que se poderia supor, a situação tende a um equilíbrio maior no que diz respeito às questões práticas, sendo o ponto de estabilidade bem mais próximo do desejado pelo mais egoísta.

Tais dificuldades de ordem prática, ligadas à necessidade de fazer concessões para que a vida em comum possa ir adiante, têm sido superestimadas e consideradas muito maiores do que realmente são. **As pessoas tendem a achar que o principal foco de desgaste na vida em comum está relacionado com os pequenos problemas con-**

cretos de adaptação entre pessoas que vêm de ambientes diferentes e têm mentalidades distintas. Imaginam, em virtude disso, que, se o homem puder morar em uma casa e a mulher em outra, muitas das questões cotidianas relacionadas com o casamento serão resolvidas. Não é o meu ponto de vista. Querem solucionar problemas de psicologia com geografia. Nada tenho contra a ideia de que vivam em casas separadas; o que estou tentando transmitir é que, se não houver disponibilidade para conversas e acordos referentes a questões tão simples, será muito pouco provável que o casal tenha chances de se entender nos assuntos mais fundamentais da vida, como a educação dos filhos, projetos de ordem profissional e financeira etc. Sempre me surpreendo com a solução simplista que as pessoas costumam dar aos seus dilemas. Não é de espantar que cheguem sempre aos mesmos resultados e sua vida efetivamente não evolua.

Temos de progredir na análise das dificuldades da vida em comum derivadas das diferenças de temperamento, personalidade e caráter dos que decidem ser parceiros no jogo da vida. As diferenças que se manifestam de modo concreto resolvem-se mais de acordo com a vontade — ou necessidade — do mais egoísta, menos tolerante às contrariedades e frustrações que a vida inevitavelmente nos impõe. O mais generoso é também o mais indulgente; orgulha-se disso e tem prazer em exercer sua competência para a renúncia de suas vontades em favor do outro. Tal renúncia não deve ser vista apenas como um ato de carinho, como um simples desejo de agradar à pessoa amada. **Ao agir de forma impraticável para o outro, o mais generoso está também se exibindo como o mais forte.**

Espera, com isso, angariar a admiração do amado e, junto com esta, uma afeição maior. **O generoso coloca-se no relacionamento como o que age com desprendimento, com o intuito de obter o amor que parece existir no interior do egoísta, mas este não está conseguindo expressar.** O generoso tem sempre esperança de que surgirão sinais do amor e da admiração que ele tanto deseja receber.

Infelizmente, porém, não é assim que a realidade se manifesta. O mais egoísta — e existem egoístas tanto entre os homens como também entre as mulheres, de modo que tudo que estou descrevendo independe do sexo — recebe maior favorecimento e nota a força do generoso, sempre capaz de um novo agrado. Pode ser até que sinta o desejo de retribuir, de manifestar gratidão pelo que recebeu. Mas outra emoção, fundamental, entra em jogo e o impede de agir dessa forma: a inveja.

A inveja, como o amor, deriva da admiração. Assim sendo, compete com ela. Quando uma pessoa recebe um agrado que não é capaz de retribuir, ela poderá ficar contente com essa conquista; porém, dificilmente deixará de se sentir um pouco humilhada pela competência do outro. Aquele que recebe algo que não teria condições de ter por si e não reconhece a possibilidade de devolver a atitude no mesmo nível não poderá deixar de se sentir por baixo em relação ao doador. A vaidade ofendida tenderá a desencadear a reação agressiva típica da inveja, qual seja, a da sutil manifestação depreciativa. O humor é muito usado nesses momentos, pois pode dar vazão à agressividade sem deixar claro que o invejoso sente-se inferior. Isso ofenderia ainda mais sua vaidade, de modo que é essencial que a hostilidade se manifeste de modo sutil e insidioso.

O generoso recebe, pois, algum tipo de agressão em troca de suas dádivas e dos seus préstimos. Fica extremamente magoado e decepcionado. Nem por isso tenderá a mudar suas atitudes e, em outra oportunidade, terá de novo a impressão de que, então, receberá os sinais diretos de afeição e gratidão que tanto anseia. Mas nada disso: receberá mais uma agulhada, mais uma indireta depreciativa que o ofenderá muito porque atingirá exatamente algum dos seus pontos fracos. Só que, em outra ocasião, repetirá tudo. Podemos explicar esse fenômeno de duas formas: de acordo com a primeira, o ser humano é mais refratário a aprender do que qualquer outro animal; a segunda defende a existência de algo mais envolvido nesse processo, que terá de ser devidamente decodificado.

Aliás, uma hipótese não exclui a outra, pois, de fato, a capacidade humana de imaginar, de supor, de antever pode perfeitamente determinar uma tendência segundo a qual achamos que a experiência de amanhã não necessariamente repetirá o que aconteceu ontem. Talvez até seja isso mesmo; porém, o mais provável é que ocorra a repetição, e não a resposta nova e desejada. Cabe conjecturar a respeito de mudanças na conduta das pessoas, mas não com a velocidade que gostaríamos. O tempo relacionado às modificações de conduta deve ser medido em anos, e não em dias. Ou seja, não é prudente supor que uma conversa mais franca, algumas sessões de psicoterapia ou qualquer outro tipo de interferência no modo de ser de uma pessoa provocarão rápidas alterações de conduta. Não se deve imaginar que determinadas coisas ocorrerão apenas porque as desejamos e porque elas podem acontecer. É necessário que surjam razões mais fortes para que certos comportamentos se alterem.

A segunda hipótese, relacionada à existência de outro ingrediente determinando a ação generosa que se repete mesmo sem ser recompensada, é bem mais importante e terá de ser muito bem compreendida se quisermos nos aprofundar na complexa dinâmica das relações conjugais. **Com o passar do tempo, o generoso, que, de fato, esperava ser aplaudido, admirado e amado por seus belos gestos, vai percebendo que sua dedicação causa, na realidade, a inveja do amado. Não é exatamente o que gostaria de provocar, mas é uma forma indireta de ser admirado, já que ninguém invejaria uma pessoa desprovida de qualidades. A inveja, devidamente decodificada, é sempre um sinal de apreço. Dessa forma, ainda que por essa via, recebe os sinais de valorização de que tanto necessita. E mais: acaba gostando de causar inveja ao amado, uma vez que essa passa a ser sua maneira de ser agressivo.** As pessoas mais generosas têm, como regra, grande dificuldade de reagir quando provocadas.

Tendem a uma postura de paralisia diante de situações de violência. Em virtude dessa incompetência, costumam desenvolver formas sutis de resposta agressiva, como ocorre no caso mencionado, em que essa resposta consiste em provocar a inveja daqueles que as magoaram.

Ao nos aprofundarmos, pois, na análise da atitude generosa e desprendida de um dos cônjuges, deparamos com uma realidade completamente diferente daquela que veríamos se nos satisfizéssemos apenas com a primeira impressão. **O generoso passa a ter, pela sua capacidade de renunciar em favor do outro, uma arma poderosíssima. Sua violência é invisível, pois é exercida em nome do "bem", do amor e da vontade de agradar. O egoísta reconhece perfeitamente o lado violento dessa bondade toda; porém, necessita de favores. Quando os recebe, mesmo consciente de tudo, não pode deixar de sentir inveja e de reagir com violência, inclusive criando atritos motivados por temas banais e irrelevantes.** A verdade é que o egoísta morre de inveja do generoso e não costuma ser forte o bastante para se livrar dessa situação. Essa força só poderia nascer do efetivo desenvolvimento pessoal, de modo que o egoísta pudesse prescindir dos favores que recebe e tanto mal lhe fazem.

Sua única saída será tentar provocar, de alguma forma, a mesma emoção no generoso. Como o fará? Tratando de desenvolver as peculiaridades que o generoso mais admira no seu parceiro egoísta. Essas peculiaridades poderão ser de vários tipos, mas como regra têm que ver com a capacidade do egoísta de cuidar

bem de si mesmo, de seu corpo, de sua vaidade em geral. O egoísta não tem muito medo de despertar a inveja das outras pessoas, entre outras razões, porque tem de si um juízo muito depreciador, o que o impede de acreditar que esteja sendo realmente admirado. Tratará de exercer todo o seu talento exibicionista tanto do ponto de vista físico como material, o que o generoso não consegue porque não é igualmente competente para provocar, nos outros, esse tipo de inveja. O generoso invejará a capacidade do egoísta de usufruir as coisas materiais, atitude que não é vista como muito digna pela reflexão ética mais sofisticada, mas pode ser muito agradável no cotidiano. **Além de provocar a inveja, o egoísta terá reações agressivas por motivos fúteis, o que é uma das suas características — e em relação à qual o generoso se reconhece desarmado.** Nessas ocasiões, terá boa chance para tratar o generoso com desprezo, lançando sobre ele todo o rosário de "mágoas" acumuladas ao longo dos anos de vida em comum.

Assim, ainda que aparentemente as coisas tenham se estabilizado nesse tipo de casamento, a verdade é que as tensões e violências continuam a ocorrer de parte a parte ao longo do tempo. Superficialmente, o egoísta é visto como mais temperamental e o generoso teria aprendido os truques para lidar com ele, fazendo tudo parecer equilibrado. De forma mais profunda, continua a travar-se uma guerra mortal, em que cada um tenta, com suas armas, destruir o outro. O amor continua a mostrar-se como o fator determinante da união. **Mas a verdade é**

Uma nova visão do amor
Flávio Gikovate

que as mágoas e os ressentimentos são crescentes, criando condições invisíveis de instabilidade para tais relacionamentos. A violência é recíproca e é impossível afirmar qual das manifestações é a mais intensa. O modo de agir do generoso faz que ele tenha, aos olhos das outras pessoas, o papel de vítima, enquanto o egoísta é visto como o mais "encrenqueiro". O egoísta é o sádico, o que bate; mas o faz ao gosto do generoso, que apanha exatamente na medida de suas necessidades. É o masoquista quem dita as regras de quanto e onde o sádico pode bater.

Aquilo que parecia uma solução muito interessante para resolver os conflitos entre o amor e o fator antiamor acaba desembocando em um relacionamento violento no qual grassa a inveja em ritmo muito maior do que o amor. Essa emoção, a inveja, que talvez seja a mais frequente nas relações humanas em geral, determina uma tendência para a radicalização da forma de ser de cada um. O clima de disputa é totalmente desfavorável para a conciliação verdadeira, para o diálogo construtivo. O que vai predominando é uma vontade cada vez maior de vencer o outro, de sobrepujá-lo, e não de se unir a ele, aprender com o seu modo de ser. Assim, o egoísta vai ficando cada vez mais egoísta, o mesmo acontecendo com o generoso.

Não fosse por causa da inveja, talvez até pudéssemos ter uma visão otimista dos relacionamentos que se iniciam dessa forma, uma vez que poderiam seguir a direção das crescentes afinidades que o próprio convívio íntimo poderia proporcionar. Isso possivelmente aconteceria junto com o amadurecimento de cada um dos cônjuges, o que também costuma se associar a uma diminuição da magnitude dos medos que compõem o fator antiamor. A intimidade poderia crescer aos poucos, de modo que as pessoas pudessem ir se acostumando com uma intensidade cada vez maior da união amorosa. Na prática, porém, o que acontece é uma sucessão de violências mais e mais sofisticadas, que acabam envolvendo setores progressivamente maiores do relacionamento, inclusive os que estavam preservados. **Não é adequado subestimarmos a importância da inveja, emoção fortíssima e que não desaparece por decreto ou por simples vontade da razão.** Ela só poderá se atenuar se, de fato, acontecer uma evolução, um avanço no modo de ser da pessoa que a sente. A emoção só desaparecerá se desaparecer o degrau que separa as pessoas envolvidas, ou então se surgir o raro bom senso, fazendo que elas parem de se comparar.

Um dos setores que tendem a uma progressiva complicação ao longo desse tipo de casamento diz respeito à vida sexual. É uma das áreas na qual a inveja, já existente entre os sexos, por motivos que não vêm ao caso mencionar, costuma interferir. Cabe fazer algumas considerações mais aprofundadas acerca desse tema, antes de tratarmos da questão do ciúme, da possessividade e das desconfianças que os parceiros possuem um do outro. As regras têm sempre um bom número de exceções, que aqui serão desconsideradas, uma vez que o objetivo é apenas mostrar como os eventos da vida íntima vão se sucedendo em uma sequência até certo ponto lógica. Não é o caso também de destrinçar a participação da razão nos processos do amor e da inveja. Como ambas as emoções derivam da admiração — e esta tem tudo que ver com processos racionais de avaliação e valoração das pessoas entre si —, é mais que evidente sua atuação no que diz respeito a elas. A pessoa que sente inveja sabe exatamente por que está se sentindo inferiorizada. A consciência aqui é quase total e são raras as vezes em que nos surpreendemos agredindo gratuitamente uma pessoa para só depois nos apercebermos de que esse impulso foi determinado pela inveja.

Para uma avaliação da questão sexual, é importante que saibamos quem é o mais generoso e quem é o mais egoísta. **Quando a mulher é a generosa, a vida sexual costuma ser muito boa por vários anos ao longo do casamento. O homem mais egoísta é, como regra, o típico machão que faz charme para todas as mulheres. Isso provoca muito ciúme em sua esposa, que, ao mesmo tempo, tem a impressão de que, se não o satisfizer, será traída.** Se o marido for do tipo que tem sua vaidade gratificada pela conquista de várias mulheres, de nada adiantará a estratégia da esposa de ser a mais perfeita parceira sexual, pois ainda assim ele procurará as outras. Mas não é só isso que está em jogo. **As mulheres mais generosas costumam dar tudo de si àqueles que amam e enquanto amam.** Sua sexualidade libera-se exclusivamente no contexto do amor, no qual se sentem seguras, porque se soltam com a certeza de que apenas o farão com aquele parceiro, sem o medo de que a excitação possa se generalizar e envolver outros homens.

As dificuldades sexuais só surgirão quando o amor estiver em baixa, quando a mulher estiver em processo de decepção com o marido. Isso ocorrerá aparentemente por causa do seu comportamento inadequado; mas essa não é a verdadeira razão, pois ele esteve presente desde o início. O que acontece de fato é que nesse momento finalmente ela se encontra pronta para um tipo de relacionamento mais gratificante, em que não será necessário que o parceiro tenha tantos defeitos. Não é incomum, pois, que o desinteresse da mulher pelo marido seja associado ao fato de ela ter se apaixonado por outro homem. É menos comum, porém já não tão raro, que ela se enfastie desse tipo de vida mesmo sem ter outro projeto sentimental em mente. Pode apenas sentir-se totalmente exausta nesse estilo de relacionamento, no qual ela é a mulher amorosa, gentil, dedicada, leal, disponível, que só recebe em troca críticas, depreciações, grosserias, sinais de desinteresse e desconsideração, quando não maus-tratos físicos. **De todo modo, o bloqueio da sexualidade só ocorre quando a mulher se cansou da entrega e da dedicação sem o mínimo de retribuição.** É um importante sinal de que o casamento está com os dias contados. Fica claro, pois, que esse tipo de mulher não manipula sua sensualidade, não a usa como instrumento de dominação. A sexualidade se exerce como parte de sua dedicação amorosa, como uma entrega.

Quando a mulher é a mais egoísta, as coisas são bem mais complexas, principalmente porque tais pessoas são sempre mais racionais e guiadas por seus interesses. O único motivo para que o egoísta seja mais competente para refletir em vez de agir por impulso está contido no fato de que, por trás de uma aparência de força e superioridade, esconde-se uma criatura fraca e desprotegida. Terá de usar todos os seus recursos intelectuais com o objetivo de atingir suas metas de segurança e proteção. Tais metas estão acima de tudo, acima de qualquer prazer. A sobrevivência está, é claro, em primeiro lugar. Isso vale para tudo, inclusive para as questões relativas ao sexo e ao amor. Não costuma ter coragem para amar justamente porque não pode correr os riscos envolvidos nessa aventura, e não porque não goste da ideia romântica. **Mulheres egoístas em geral não se deixam embalar pelo erotismo e pelo prazer sensual porque, especialmente quando mais atraentes, têm de usar isso como arma de dominação e poder. A sensualidade feminina, que tanto encanta os olhos masculinos, estará a serviço de outros objetivos, mais relacionados com a resolução de necessidades práticas da vida.** Exibem uma imagem de enorme exuberância, mas não são capazes de vivenciar a sexualidade como simples fonte de prazer.

Tais mulheres, as mais exibicionistas, costumam se casar com homens pacientes e muito compreensivos.

Uma nova visão do amor
Flávio Gikovate

Eles toleram suas "dificuldades" sexuais, sempre atribuídas a traumas infantis ou à educação repressiva que, até recentemente, todos tivemos. Esperam que elas retornem à época da prática frequente, o que, como regra, corresponde aos primeiros tempos do namoro. **Não se dão conta de que elas não vivem nenhum grande drama sexual e poderiam se soltar imediatamente, caso fosse preciso.** Tanto isso é verdade que, quando tais homens, pacientes e em geral fiéis, se aborrecem e decidem ir embora, todas elas se "curam" de suas "dificuldades" de uma hora para a outra. Se ficarem sabendo que o marido tem outra, também se curam. Ou seja, têm a sexualidade liberada ou reprimida sempre de acordo com seus interesses principais de dominação. Espero ter deixado bem claro que não acredito que uma pessoa tenha gosto por dominar. Trata-se sempre de uma necessidade, porque ela se sente mais segura e menos ameaçada nessas condições.

Caso a necessidade de dominar venha a exigir uma mulher exuberante e de grande ousadia sexual, essa poderá ser a nova postura da mulher egoísta que, até há poucos dias, era reprimida e sexualmente incapaz. Quando a mulher egoísta está casada com um marido muito generoso, outro ingrediente poderá se acoplar ao processo: a inveja. **Se ela tiver muita inveja dele e perceber que ele fica muito frustrado ao ser rejeitado sexualmente — regra entre os homens, em especial os mais delicados —, poderá reprimir sua sexualidade com o intuito de provocar exatamente essa emo-**

ção nele, sendo essa a sua vingança. Ele a humilha com sua bondade, enquanto ela se vinga humilhando-o com a rejeição sexual. Caso ele não perceba o mecanismo, poderá até mesmo achar que será por meio de uma atitude ainda mais generosa que finalmente obterá a retribuição de sua mulher. Se o tiver percebido, poderá aceitar o jogo e continuar a provocar inveja com sua grandeza. Só não deve esperar que ela se modifique sexualmente. Nesses casos, quando a situação já é bem clara, o homem costuma ficar mais desligado de sua mulher e mais disponível para outras aventuras.

São poucas as observações relevantes a ser feitas a respeito da sexualidade masculina nesse tipo de relacionamento afetivo. Afora as exceções, cuja análise não é oportuna, os dois tipos de homens tendem a uma resposta sexual mais ou menos fácil e imediata. Os que são mais egoístas raramente manifestam algum tipo de dificuldade sexual, de modo que são, como regra, muito bem-sucedidos nessa área, tanto com sua esposa como com outras mulheres — é muito incomum que sejam fiéis; além disso, preocupam-se bastante com a impressão que causam quanto a isso. Aqueles mais generosos também não têm, em geral, grandes dificuldades sexuais, nem mesmo com sua esposa, que com tanta frequência os humilha com seguidas rejeições. Alguns podem sentir-se tão magoados com essa atitude a ponto de começar a ter o desejo por elas diminuído. Se elas passarem a ser muito mais ativas em virtude do desinteresse deles, é possível que eles se tornem totalmente inibidos, com o nítido intuito de retaliação, de devolver na mesma moeda. Fora isso, o mais comum é que a autoestima desses homens seja abalada pela rejeição crônica, de forma que podem ter algum tipo de dificuldade com outras mulheres que porventura surjam em sua vida. Será, de todo modo, uma dificuldade passageira.

A mulher egoísta nem sempre é fiel. Em geral só o será se isso lhe parecer muito importante para que atinja seus objetivos de segurança. Nunca será fiel por motivos de ordem ética ou por questões de lealdade, assuntos pouco relevantes para essas pessoas. Caso se entusiasme por outras pessoas durante o casamento, será por criaturas também egoístas, das quais não terá inveja — pelo contrário, poderá até se sentir superior, assumindo o papel do generoso. Com os novos parceiros, não terá nenhum tipo de inibição sexual, o que também mostra que suas "dificuldades" são, de fato, muito relativas.

Podemos dizer, fazendo uma generalização, que as criaturas mais generosas costumam ser mais fiéis do que as mais egoístas. Isso é mais verdadeiro para as mulheres do que para os homens, cuja fidelidade sexual absoluta é sempre rara, a menos que existam problemas nessa área. Atitudes mais possessivas podem ser encontradas em ambos os tipos humanos, apesar de motivações nem sempre idênticas. Os generosos apegam-se muito à pessoa amada e têm muito medo da dor relacionada com sua perda. Os egoístas têm dependências de ordem mais prática, de modo que também têm muito medo da ruptura, uma vez que ela poderá

Uma nova visão do amor
Flávio Gikovate

significar desproteção material, perda de posição social ou mesmo desamparo emocional — uma perda mais geral, não obrigatoriamente relacionada com o afastamento daquela dada criatura. Aqui não se trata tanto de perder *aquele* parceiro, mas de perder *um* parceiro.

É sempre difícil, para mim, fazer observações acerca da possessividade e do ciúme. Tenho dúvidas, por exemplo, sobre o peso que tem o fato de termos sido muito apegados à nossa mãe, e dependentes dela, para o entendimento do ciúme na vida adulta. Até onde consigo enxergar, a criança não se incomoda com o fato de sua mãe dar atenção a outra criança a não ser depois de ter algum entendimento da situação, condição na qual pode se sentir ameaçada. A ameaça aqui seria tanto de natureza prática, como ocorre ao longo da vida adulta com os mais egoístas, como de um eventual prejuízo sentimental, que é o pavor dos mais generosos. Ou seja, penso que os comportamentos possessivos e ciumentos iniciam-se quando a criança se percebe como ser separado da mãe e já tem condições para fazer uma reflexão por meio da qual se sinta ameaçada pela possibilidade de perda de algum tipo de proteção. Isso aconteceria no fim do primeiro e início do segundo ano de vida. **Quando nasce uma criança, o irmão mais velho entra em pânico e odeia tudo desde o primeiro dia. O recém-nascido só passará a hostilizar o irmão quando tiver consciência de que disputam o mesmo espaço, o mesmo colo e as mesmas atenções.**

O que estou tentando defender é a ideia de que o ciúme não é emoção inerente ao amor e está ligado, mes-

Uma nova visão do amor
Flávio Gikovate

mo, às nossas inseguranças. Assim sendo, seria perfeitamente possível imaginarmos um relacionamento afetivo em que essa emoção não estivesse presente. Isso exigiria, porém, o alcance de dado estágio de evolução pessoal que a maior parte das pessoas não costuma atingir. **De todo modo, não procede a ideia de que o ciúme é prova de amor.** O egoísta não ama e é extremamente ciumento, pois teme a ruptura da relação por outras razões que não as sentimentais. O generoso ama, mas tem muito medo de enfrentar a eventual dor da perda, de modo que também acha conveniente tentar prevenir os acontecimentos desagradáveis que possam vir a determinar a separação. Se praticamente todo mundo é ciumento e age no sentido de controlar seu parceiro para impedir eventuais infidelidades sentimentais e sexuais, nada melhor do que dar dignidade a essa emoção, fazendo dela parte obrigatória do fenômeno amoroso! A partir daí a situação se complica ainda mais, porque ninguém fará nenhum tipo de esforço para aprender a dominar essa tendência à indevida tentativa de dominação do outro.

A oficialização do ciúme como emoção digna e aceitável, da qual discordo com total veemência, traz consigo problemas enormes para o relacionamento conjugal. O que acaba acontecendo é o estabelecimento de direitos de um sobre o outro, de modo que podemos ouvir frases como: "Eu não deixei que ele fosse pescar com os amigos", "Eu a proibi de sair com aquela roupa", "Não admito que ele chegue em casa a esta hora", "Eu mandei que ela mudasse de dentista porque não confio no atual". Apenas alguns exemplos mais comuns, em que o verbo é sempre denunciador desse domínio que um acha que pode exercer sobre o outro. Se o amor já é, por si, uma ameaça à nossa individualidade — por causa da nossa tendência de nos fundir com a pessoa amada —, o que se pode dizer de sua associação com o ciúme? O direito a esse tipo de conduta autoritária aumenta ainda mais com o casamento. Um homem pode tentar influir no modo como sua amada se veste. Mas, se for seu marido, ele se sentirá com mais direitos ainda.

O fato de o ciúme ser considerado manifestação do amor é ótimo para a pessoa mais egoísta, pois se presta a duas funções. A primeira, por ser sincero o ciúme sentido por ela, é facilitar a alusão ao amor, mesmo na ausência desse sentimento. A segunda é encobrir a enorme fraqueza contida no desejo de dominação do outro. Como o tipo mais generoso também sente ciúme, fica obscura a relação dessa emoção com a insegurança e os medos em geral. Acontece que o generoso também tem suas fraquezas, maiores do que gostaria, apesar de serem menores do que as do egoísta — tanto que dispõe de sobras que podem ser doadas ao outro. Se os generosos não tivessem suas inseguranças bastante evidentes, não seriam parte dessas histórias conjugais terríveis que costumamos observar o tempo todo, nas quais aceitam fazer um papel patético. Consideram-se salvos pelo amor, pois esse sentimento é tido como capaz de nos fazer sentir dignos mesmo quando nos comportamos de modo deprimente e humilhante. Não creio que haja a menor dúvida quanto à urgência em rever todos esses conceitos.

Terei a oportunidade de detalhar as relações entre o amor e a vaidade em um tópico à parte no final deste livro. Gostaria apenas de registrar que, no ciúme, esse componente da nossa subjetividade ocupa um papel de destaque. Sim, porque o medo de perder a pessoa amada traz consigo, além de eventuais problemas de ordem prática ou das dores relativas às rupturas de elos, a enorme ofensa ao orgulho daquele que foi abandonado — especialmente se foi "trocado" por outra pessoa. **A palavra "orgulho" é quase um eufemismo para a vaidade. A palavra "vaidade" nem sempre é ouvida com uma conotação positiva, ao passo que o termo "orgulho" muitas vezes o é.** Dessa forma, quando queremos dar um sentido positivo à vaidade, nós a chamamos de orgulho. **É muito difícil avaliar qual é o maior medo: se o da perda efetiva da pessoa ou o da ofensa à vaidade, determinando inclusive a humilhação aos olhos das outras pessoas. De todo modo, qualquer que seja o tipo de sentimento amoroso, é mais fácil perder uma pessoa por morte do que pela paixão por outro.**

O ciúme cresce em proporção direta à intensidade do amor, uma vez que os riscos de sofrimento aparecem como mais ameaçadores. Ele cresce também em proporção inversa à confiança que temos em nós mesmos, no nosso relacionamento e na lealdade do nosso companheiro. **Se uma pessoa generosa se relacionar**

Uma nova visão do amor
Flávio Gikovate

com outra mais egoísta, terá enorme dificuldade de sentir confiança, uma vez que o egoísta não é mesmo portador de efetivo sentido moral. Governa-se mais de acordo com interesses pessoais do que por princípios, de modo que esses interesses podem se alterar a qualquer tempo, bastando para isso unicamente que conheça alguém mais conveniente. O generoso não tem de si boa imagem nem costuma acreditar muito na importância do papel que possa desempenhar na vida do outro; confiar num relacionamento assim estabelecido seria impossível. O mesmo acontece com o mais egoísta, que sabe perfeitamente que o seu parceiro recebe menos do que teria direito, uma situação que dificilmente durará para sempre. Ao perceber que está sendo menos dedicado do que deveria, tenta impedir o aparecimento de outra pessoa por meio de uma conduta possessiva extrema, só tolerada pelo generoso porque, graças a essa arbitrariedade, sente-se um pouco mais amado.

A maioria das crianças nasce no seio de famílias cujo núcleo corresponde a esse tipo de vínculo amoroso. Essas crianças terão, como regra, um pai e uma mãe incrivelmente diferentes no modo de ser e de se comportar. Um será mais severo e o outro mais tolerante; um mais amoroso e o outro mais "frio"; um mais coerente e o outro mais paradoxal; um mais presente e possessivo e o outro mais ausente e talvez mais displicente. Ouvirão que, caso a mãe goste de tê-los por perto o maior tempo possível, sentirá ciúme e ficará triste se eles se divertirem sem a companhia dela. As crianças perceberão que não há reciprocidade no relacionamento de seus pais, não tendo isso relação direta com o tratamento que cada um dispensa aos filhos. O que é mais grosseiro como cônjuge pode ser o mais carinhoso como pai — pois o medo de perder o amor dos filhos pode ser menor do que o que existe na relação homem-mulher. **Podemos dizer que as crianças se formam num contexto no qual percebem desde cedo que existem dois tipos bastante diferentes de pessoas.**

Surge a questão inevitável: com quem se identificar? A quem usar como paradigma? Na verdade, essa questão é mais relevante para o primeiro filho, cuja decisão dependerá em parte de suas características inatas de personalidade, do seu sexo — as mães tendem a se apegar mais aos filhos varões e a ter maior influência sobre eles, acontecendo o inverso com os pais —, e em parte das peculiaridades, extremamente variadas, de cada ambiente. Dependerá até mesmo do critério que cada criança utiliza para determinar quem é o mais poderoso no contexto familiar: se o menino achar que sua mãe egoísta é a mais forte porque ela grita e todo mundo se encolhe diante dos seus ruídos, poderá se identificar com ela e passar a ter, também ele, comportamentos desse tipo.

De todo modo, se o primeiro filho for egoísta, o segundo tenderá a ser o oposto dele, tornando-se generoso, até mesmo para ocupar o lugar "vago", atraindo para si uma cota de atenção e obtendo os favores do responsável que estiver livre, pai ou mãe. A família fica, assim, dividida em dois "times", com pais opostos e irmãos também opostos. As alianças dos pais com os que serão os seus filhos favoritos poderão se dar por semelhança ou oposição, o que resulta em um número um pouco maior de variáveis. Se houver um terceiro filho, ele tenderá a ser egoísta, já que é maior o número de crianças que reconhecem nesse modo de ser o de maior poder — além disso, o egoísmo é natural para todos nós, ao passo que a generosidade é um avanço pessoal que nem todos conseguem atingir. Deve ficar muito claro que esse tipo de aliança entre opostos determina enorme tendência para que, na geração seguinte, continuemos a observar, de modo idêntico, pessoas com condutas predominantemente egoístas ou generosas.

No cotidiano desses casais — e depois, no das famílias que eles constituem —, as brigas e desavenças ocorrem tanto entre os pais como entre estes e os filhos, além, é claro, das rivalidades permanentes que existem entre irmãos. **Todo mundo se desentende e os motivos não costumam ser muito variados: ciúme e desejo de controlar o outro ou contrariedades pouco toleradas pelos mais egoístas, que são também os mais estourados e os que acusam os outros por todas as suas dores.** Assuntos relativos a dinheiro e a outras questões práticas representam as principais causas das brigas entre os casais. No que diz respeito à educação das crianças, os pais repetem, o tempo todo, as mesmas brigas. Quando pai e mãe se desentendem, ambos perdem certa parcela de autoridade perante os filhos, os quais, por natureza, já tendem a ser meio preguiçosos no que se refere a determinadas tarefas que são mais importantes para os adultos do que para eles: asseio pessoal, horários, rendimento escolar etc.

Essas são as chamadas "brigas normais de casais", em que o desentendimento e as agressões verbais passam a ser vistos como aceitáveis. Mais do que isso: como saudáveis! Com base nesse tipo de conceito, os casais que não brigam e não "colocam para fora" as suas mágoas são tidos como menos sinceros, como se tivessem menor intimidade e necessariamente levassem uma vida monótona e pouco interessante. Está implícita, nessas afirmações, a defesa da relação entre opostos, considerada a mais sadia, a mais profunda e a mais rica. Há aí uma crítica aos que se entendem com mais facilidade e divergem com mais delicadeza, tidos como falsos e superficiais. É bom ponderarmos um pouco mais sobre o que nós mesmos falamos e pensamos, pois muitas são as frases feitas que nos foram incutidas e nem de longe espelham a verdade. Isso é fato principalmente ao se tratar de assuntos mais ligados ao mundo interior, momento em que as pessoas, com o intuito de melhorar o modo como veem a si mesmas, fogem da verdade com muita facilidade.

Vejamos o caso da intimidade, que consiste na capacidade de uma pessoa de sentir-se à vontade para expor tudo que passa pela sua mente. Intimidade não é sinônimo de compartilhar o mesmo banheiro; significa compartilhar os segredos mais privados, algumas das

Uma nova visão do amor
Flávio Gikovate

coisas de que talvez mais nos envergonhemos. O requisito fundamental para que alguém se abra e externe seus pensamentos é a confiança no seu interlocutor, a certeza de que as confidências não serão usadas contra ele e de que não se sentirá julgado, criticado por um eventual erro cometido. Quantos casais sentem que existe essa possibilidade entre eles? Sabemos que são muito poucos. Sabemos que a maioria das pessoas sente maior facilidade em fazer confidências a um amigo ou mesmo a um psicoterapeuta. Acham que, caso contrário, serão julgadas e tudo que disserem poderá ser usado contra elas na próxima briga. Intimidade não consiste em poder brigar, xingar e falar palavrões. Intimidade é poder falar de si sem medo. Intimidade é falar de si, e não do outro.

A hipótese de que as brigas atenuariam o tédio e a monotonia da vida conjugal não se sustenta por duas razões. A primeira é que as brigas são sempre idênticas, monótonas repetições de si mesmas. A segunda é que elas apenas representam um tipo de emoção, sempre igual, relacionada à criação de uma iminência da ruptura amorosa que depois não se consuma. Isso é pouco para atenuar o tédio e a tendência a uma vida sexual cada vez mais pobre, até porque esse tipo de risco já não servirá sequer para aumentar o desejo. Esse cotidiano tão desinteressante, em que as liberdades individuais são coibidas por causa do ciúme, só se sustenta em função das dificuldades emocionais das pessoas envolvidas. Elas não têm forças para tomar a iniciativa de sair dessa

situação, mesmo quando se sentem brutalmente avilta-
das e oprimidas.

Só com o passar dos anos e com o crescimento interior de um dos cônjuges — infelizmente é raro que os
dois amadureçam — surge o verdadeiro desejo de um
modo de vida mais equilibrado, um relacionamento afetivo mais consistente e menos opressivo. Quando chega
esse momento, o que está emocionalmente mais madu-
ro toma a iniciativa de pedir o divórcio. Quase sempre,
coincide com o surgimento, em sua vida, de um envolvimento emocional mais intenso, mesmo fulminante,
que costumamos chamar de paixão.

3 três

A paixão

As pessoas em geral conceituam a paixão como um envolvimento emocional intensíssimo, irracional e condenado a uma duração limitada. O usual é que essa emoção seja vista como evento positivo, como algo a ser desejado e perseguido. É tida como a expressão máxima do amor. Em virtude de sua intensidade, porém, não pode deixar de ter duração breve, uma vez que implica desgastes até mesmo de natureza física. Não se costuma tentar entender suas peculiaridades, por que ela acontece e se estabelece com essa intensidade. Vamos nos ater um pouco aos detalhes, com o intuito de tentar estabelecer alguns parâmetros a respeito dessa forma de envolvimento amoroso. Tentarei fazer, aqui também, algumas observações bastante racionais, pois esse tem sido um dos meus maiores objetivos: mostrar que o amor tem razões às quais podemos ter um acesso integral. Mais que isso, que se trata de fenômeno sempre intermediado e fortemente influenciado pela razão, a qual tenta encontrar soluções convenientes para nossas necessidades práticas e nossos anseios subjetivos.

A primeira característica da paixão é que ela, como fenômeno, é forçosamente bilateral. Uma pessoa pode afirmar que se apaixonou por outra, pode sentir-se totalmente enlevada e cheia daquele calor interno próprio do encantamento amoroso intenso. Porém, se o processo for unilateral, não será adequado falarmos em paixão. Esse estado envolve a coragem de mergulhar nas profundezas do amor por outra pessoa e também de se perceber amado da mesma forma, o que provoca uma intensidade de ligação muito diferente da que temos quando o processo é unilateral. **Quando os dois se encantam simultaneamente e se entregam por completo ao relacionamento, surge uma emoção explosiva, que é a paixão. De fato, uma de suas principais características é a brutal intensidade, medida tanto pelo enorme prazer que se sente na companhia do amado como pela dor de idêntica magnitude existente quando se está longe dele.** Surge então uma alternância entre essa terrível dor derivada do afastamento e um prazer monumental quando o encontro ocorre. O prazer deriva do fim da dor e depois se alimenta de outros ingredientes.

Antes de me ater a esses elementos positivos de prazer que podem existir nas relações afetivas, gostaria de enfatizar veementemente o caráter homeostático do amor. Ou seja, o primeiro e talvez o maior prazer relacionado com o encontro de um par está associado à atenuação da sensação de desamparo que todos nós sentimos quando estamos sós. **Depois que nos encantamos por alguém, essa e apenas essa criatura serve como elemento atenuador da dolorosa sensação de abandono e incompletude que nos persegue desde o primeiro dia. Sua ausência é percebi-**

da como dor. Parece que a dor deriva da ausência daquele ser específico, como se antes de nos encantarmos por ele essa sensação não existisse. Na verdade, o que ocorre é justamente o inverso: em virtude da existência do "buraco", encantamo-nos por outra pessoa, que passará a ser o remédio para a nossa incompletude; sua presença atenua a dor, exatamente como uma medicação paliativa; sua ausência faz que a mesma dor de sempre reapareça, a dor que deu origem ao desejo amoroso. **O encantamento amoroso é, pois, um remédio para o nosso "buraco". Considerando que o "buraco" seja uma sensação e não um fato, poderíamos dizer que o amor é um remédio para um falso "buraco", para uma falsa doença.**

Assim sendo, o primeiro grande prazer relacionado ao amor tem que ver com o fim da dor derivada da nossa sensação de incompletude. É evidente que na paixão, encantamento bilateral e simultâneo, essa sensação de aconchego é máxima. A reciprocidade amorosa origina-se de um amadurecimento emocional de ambos os parceiros, bem como de igual disposição para o mergulho romântico. Isso já revela forte tendência a terem muitas coisas em comum, inclusive um caráter mais próximo do tipo generoso. A paixão costuma acontecer com mais frequência em dois períodos da vida: ou nos primeiros anos da adolescência, quando os medos relacionados ao amor ainda não estão muito desenvolvidos; ou então após os 30 anos, depois de envolvimentos com pessoas bastante diferentes e sofrimento suficiente para que não haja mais interesse nesse tipo de união. Dessa forma, a tendência para que predominem as afinidades de todo tipo é muito grande, e isso define uma das características da paixão.

A união entre pessoas parecidas traz, como é evidente, uma possibilidade de intimidade muito maior, pois o encaixe é mais fácil e mais profundo. Essa é a razão da intensidade do amor, determinando uma sensação de fusão, de que duas pessoas poderão tornar--se "uma só carne". Quando não surgem dificuldades de ordem sexual, as intimidades nessa área acabam também por expressar essa proximidade, responsável por grandes sensações de prazer. Os problemas sexuais, quando existem, sempre se manifestam nos homens e podem ser interpretados como uma defesa contra essa mesma fusão desejada, como parte, portanto, do fator antiamor. O clima de aconchego é propício para que as pessoas envolvidas ousem confidenciar suas mais vergonhosas lembranças, sujeiras que são tiradas, às vezes pela primeira vez, de baixo do tapete. Isso acontece como consequência da confiança derivada das afinidades intelectuais e de caráter; não há medo de que o outro use as informações para nos derrubar, contra nós. **A sensação é de enorme prazer, de podermos nos desnudar também espiritualmente diante do outro, de nos sentirmos compreendidos e não julgados. Sentimo-nos partícipes de uma verdadeira relação de intimidade.**

O fato de podermos nos abrir tão livremente com outra pessoa torna-a ainda mais especial. Especial e única, que é como vemos o amado. Parece um encontro mágico, determinado por forças sobrenaturais, por Deus.

Uma nova visão do amor
Flávio Gikovate

Parece impossível que tenhamos podido viver sem o amado até aquela data. E igualmente impossível seria imaginar a vida sem ele em qualquer momento do futuro. A sensação de fusão é física e espiritual. Tudo parece encaixar-se perfeita e definitivamente. Como se a perda da pessoa amada, caso ocorra, determinasse a nossa morte. Sua presença nos faz sentir fortes, completos. **Em virtude de nos sentirmos aceitos e amados mesmo depois de termos confidenciado nossos pensamentos mais íntimos, a autoestima tende a crescer, fazendo que nos sintamos ainda mais poderosos. Temos vida porque temos o amado conosco. Isso nos faz vitalmente dependentes dele.**

Compartilhar intimidades, sentir-se compreendido de forma adequada, sendo aceito depois de se ter mostrado em diversos aspectos da subjetividade, ter uma vida sexual rica, livre de preconceitos e com o ritmo desejado, sentir que o outro não está manipulando as situações para atingir objetivos pessoais, o que nos permite ficar mais desarmados o tempo todo, são alguns dos prazeres mais fortes existentes na paixão, além, é claro, da plena resolução da sensação de desamparo e incompletude. **A sensação é ótima, e ela se agrega a uma espécie de orgulho íntimo por termos tido coragem para nos apaixonar, por estarmos vivendo o tipo de história que usualmente vemos nos filmes e livros.** Além desse modo genuíno de expressão de nossa vaidade, existem outros ingredientes relacionados a essa emoção exibicionista: adoramos desfilar com a pessoa amada, como

Uma nova visão do amor
Flávio Gikovate

se fosse uma conquista, a nos elevar e engrandecer — é difícil imaginar como sofrem os amantes apaixonados que são forçados, em virtude de outros compromissos, a viver sua história às escondidas. Existe prazer em exibir o amado, entre outras razões, pelo orgulho que temos de estar ao lado de alguém tão rico em virtudes — segundo nossos olhos, é claro. Sentimos prazer em nos exibir publicamente como membros de um casal apaixonado, como pessoas que tiveram acesso a esse estado único, ímpar, como pessoas superiores, abençoadas pelos deuses, como privilegiados.

A paixão, porém, não é assim tão simples e apenas prazerosa. A conceituação dessa emoção completa-se, a meu ver, quando somos capazes de descrever e entender o montante de medo que a ela se associa. **A paixão pode ser definida como um estado de profunda intimidade e proximidade entre duas pessoas, associado a um medo de igual intensidade.** As pessoas sentem-se num estado próximo da fusão e ficam em pânico. É como se fossem duas criaturas em desamparo e sob ameaça que estão abraçadas, tentando proteger uma à outra de perigos difíceis de ser detectados com clareza e precisão. O prazer que se obtém com o encaixe perfeito entre dois corpos e duas almas em tudo semelhantes fica permanentemente ameaçado de extinção. **Esse prazer derivado da sensação de estar com a vida resolvida esfacela-se diante da possibilidade de tudo terminar em ruína, perda e morte. Esse é o clima da paixão: brutal gratificação associada a um estado de iminência da tragédia.**

Uma nova visão do amor
Flávio Gikovate

Muitos dos processos característicos da paixão podem ser compreendidos com clareza total a partir do entendimento de como o medo aí atua de modo decisivo. Antes de tudo, alguns dos sintomas que se atribuem à paixão são pura expressão do medo. A taquicardia é o primeiro deles. **O coração não bate mais rápido e forte por causa do amor. Bate de medo.** Enquanto se espera que o amado chegue, sempre existe o temor relacionado com a hipótese de ele ter desistido e resolvido não vir mais. A espera e a impaciência provocam a taquicardia, associada a pensamentos de dúvida: "Será que ele vem? Será que ainda me ama? Será que aconteceu alguma coisa de ruim com ele?", e assim por diante. Quando o amado chega, o coração bate mais rápido ainda, pois ele pode ter vindo apenas para dizer que não nos quer mais. Logo que percebemos que não é esse o caso, que ainda somos amados, o medo diminui e com isso cai também a frequência cardíaca.

O mesmo acontece com relação ao sono e ao apetite, ambos profundamente afetados pela paixão, em virtude do estado de pânico quase constante quando se está tão ligado a outra pessoa. O medo de que algo de desagradável aconteça é tão grande que vivemos como se estivéssemos em uma guerra: conseguimos dormir por poucas horas e logo despertamos, totalmente alertas, prontos para mais um dia de batalha. Pensamos em todas as hipóteses negativas relacionadas com o nosso caso de amor, que, como regra, envolve também obstáculos externos perturbadores do bom andamento da história. A região do estômago é onde costuma aparecer a sensação de "buraco", tão frequentemente confundida com fome em épocas normais da vida. Durante a paixão, vivemos uma enorme tensão nesse processo de nos aproximar da completude e de vivenciá-la, pois ela é percebida como algo que não pode durar muito tempo e logo se transformará em dramático afastamento. Surge a sensação de vazio na região gástrica, só que ela não pede comida, e sim o amado. **Ao nos alimentarmos, qualquer quantidade de comida já nos satisfaz, pois o estado de alerta em que vivemos não é propício para os prazeres da mesa.** Comemos e dormimos o estritamente necessário para restaurar nossas energias mínimas. Em geral, as pessoas apaixonadas perdem bastante peso.

Outra peculiaridade do estado de pânico em que vivem os apaixonados é que eles pensam quase o tempo todo na sua história de amor, nos problemas e dificuldades que enfrentam para concretizá-la, para transformá-la em vida em comum. Com isso, tornam-se muito pouco atentos às outras coisas da vida, tendo a concentração para o trabalho e para seus outros afazeres bastante prejudicada. A pessoa fica totalmente absorta no processo de recapitular todos os itens do relacionamento, com o intuito de se certificar de que ainda é amada e de detectar os possíveis perigos iminentes que parecem rondá-lo continuamente. **Vive sua história de amor como uma obsessão. Não se interessa por mais nada, por mais ninguém.** Só pensa no amado, na delícia de estar com ele, na dificuldade de a aliança vir a concretizar-se de modo estável. Pensa muito nos riscos de abandono e de tragédias de todo tipo. Vive nesse estado a maior parte do tempo, pois ele só se atenua com a presença do amado. **Vive toda essa dor e, ao mesmo tempo, tem a sensação de estar passando por um momento extraordinário, vivendo uma história única — apesar de idêntica a todas as outras. Mesmo com todo o sofrimento, jamais ouvi alguém dizer que se arrependeu de ter participado dessa aventura.**

A paixão corresponde, pois, a um encontro amoroso de fortíssima intensidade, decorrente das afinidades entre os que se amam. Ela determina um encaixe mais firme, que se assemelha mesmo à fusão, como se as duas metades da laranja tivessem finalmente se unido para formar a unidade perdida. Há também um estado de pânico associado a esse evento, que, como regra, embora mal compreendido por quem está vivendo a situação, não deixa de ser sentido e interpretado. E a interpretação mais comum relaciona-se com os temores de serem descobertos — visto que a paixão se dá em situações de proibição —, ou então com o medo antecipado da dor de um afastamento que parece inevitável. O exemplo mais claro disso ocorre quando pessoas que moram em lugares distantes apaixonam-se, durante as férias ou algum encontro de trabalho. Vivem as delícias da fusão romântica, sempre envolta por uma nuvem escura e dramática relacionada com o dia, próximo, em que terão de se afastar e voltar ao seu ambiente original e à sua vida cotidiana. **A sensação é a de estar com uma espada em cima da cabeça, como se a dor fosse**

um tributo inevitável a ser pago por aqueles momentos de perfeição.

De acordo com as ideias que venho defendendo ao longo dos anos, e repetidas nas páginas anteriores, fica claro que penso que os medos correspondem ao exercício do fator antiamor, ingrediente inevitável da nossa subjetividade. Não creio que os fatores externos de qualquer tipo, mesmo os que parecem mais importantes, sejam relevantes para o andamento dessas histórias.

A paixão corresponde a um estado interno no qual a intensidade do amor é máxima, com máxima tendência para a fusão, correspondendo à realização do desejo, que nos persegue o tempo todo, de desfazermos o ato de nascer e voltarmos para a simbiose original. Como a intensidade do amor é máxima, máxima também será a intensidade do fator antiamor, que cresce na mesma proporção que o primeiro. A paixão é, pois, máximo amor associado a máximo estado de medo. Os medos já foram descritos: medo de que a fusão romântica ofenda os anseios de liberdade e de individualidade, que também nos são caros; medo da perda do objeto amado, que, sendo essencial, provoca dor quase insuportável; medo da felicidade.

O medo da felicidade não é outra coisa senão uma extensão do medo anterior, ou seja, da perda do amado. **Vivemos a felicidade como um estado que aumenta as chances de sermos acometidos por todos os tipos de tragédias. É como se as pessoas felizes estivessem em pecado, ofendendo os deuses — além da inveja que des-**

pertam em seus pares — e levando-os à ira. A tragédia é iminente e não sabemos exatamente de onde ela virá. Ao que parece, alguma coisa acontecerá e nos obrigará a uma separação totalmente inoportuna e indesejada. Esse medo é o mais difícil de ser administrado, pois não conheço ninguém que tenha conseguido libertar-se por completo dele. Como a fusão romântica corresponde a um dos estados mais prazerosos que podemos encontrar, determina forte intensidade de alegria e igual quantidade de medo de que alguma tragédia venha a nos assolar. Se não tivermos muita atenção e cuidado, nós mesmos acabamos fazendo alguma bobagem capaz de atrapalhar o bom andamento do processo de conquista dos nossos objetivos. **O medo da felicidade condiciona uma tendência destrutiva muito importante para todos nós, pois os equívocos que cometermos atenuarão o nosso medo. Isso se dará pela destruição de uma parte do que nos está trazendo alegria, sendo às vezes levados a destruir tudo que mais prezamos e desejamos.**

Durante a paixão, vivemos momentos de êxtase e de enlevo difíceis de ser atingidos em outros contextos da nossa vida. Vivemos também grandes momentos de terror, entre os piores que possamos imaginar. O conjunto aparece como algo épico, heroico, e é capaz de nos deixar totalmente absortos, obcecados mesmo. Queremos que esse estado dure para sempre e sabemos que isso não é possível, até porque os outros afazeres nos chamam. É nesse clima de amor, como a única coisa que vale a pena, que surge o sonho de abandonar tudo, mudar-se para um sítio ou a praia para viver apenas de amor. Felizmente, na maior parte dos casos os sonhos não se realizam, pois o que tenderia a acontecer seria o rápido fastio e tédio de viver apenas a simbiose, e os casais passariam a se desentender e brigar. **Do ponto de vista teórico, podemos dizer que esse empate entre o amor e o fator antiamor não poderá ter duração indefinida, até mesmo porque o vigor físico das pessoas começa a ficar abalado. Com o passar do tempo, os casais apaixonados terão de se decidir: ou predomina o amor e, apesar de todo o medo, são tomadas as providências necessárias para a realização prática do relacionamento, ou então predomina o fator antiamor, e os medos determinarão o doloroso afastamento dos que se amam.**

Na maioria dos casos que tive a oportunidade de acompanhar — e eles foram em número superior a mil —, acaba vencendo o fator antiamor. As repetições são surpreendentes nessas histórias em que todo mundo tem a sensação de estar vivendo um evento ímpar e espetacular. As pessoas se encantam de forma rápida e fulminante, mesmo que já fossem velhas conhecidas e não sentissem nada de muito especial antes do início do processo. Alguém que antes era neutro transforma-se em único e insubstituível no curso de poucos dias. As razões do encantamento são as afinidades e semelhanças, associadas a um fator genérico que não temos condições de descrever com precisão: achar graça no modo de a pessoa se movimentar, no seu tom de voz, no seu cheiro, na maneira como olha, como fala, como

Uma nova visão do amor
Flávio Gikovate

ri etc. Surgem o desejo de ficarem juntos para sempre e a constatação de que existem obstáculos externos, hoje de relevância duvidosa, como o fato de serem casados, ou uma diferença de idade tida como indevida, diferentes níveis de educação formal, condição econômica diversa etc.

Não estou desprezando a importância dessas diferenças, pois elas podem vir a ser fator de turbulência para as futuras relações íntimas. O que estou tentando mostrar é que quase sempre as diferenças tidas como muito graves não o são, estando apenas a serviço de encobrir os medos próprios do fator antiamor. O que está em jogo é principalmente o medo da felicidade, que nesses casos é o ingrediente mais relevante do fator antiamor. O grau de felicidade é máximo, pois a fusão romântica, independentemente da opinião que se possa ter dela, é um dos maiores anseios das pessoas de uma forma geral. Sua realização é, pois, motivo de enorme satisfação, imediatamente perturbada por uma ansiedade difusa, por um estado de ameaça indefinida, de iminência de catástrofe. As pessoas desconhecem a causa do que estão sentindo e acabam atribuindo a sensação às impossibilidades externas que trarão a inevitável e dolorosa separação. **Na realidade, os amantes apaixonados separam-se porque sentem que esse é o único caminho para a sua sobrevivência e das outras pessoas que eles querem bem. Acabam separando-se, contrariando o sentimento amoroso, porque não resistem à tensão e ao sofrimento interno que vivenciam.**

Uma nova visão do amor

Flávio Gikovate

Os pretextos são banais e irrelevantes, de modo que não vem ao caso comentá-los.

Ao se separarem, experimentam inicialmente uma sensação de alívio por terem se livrado daquele sofrimento terrível de se sentirem em guerra constante, ameaçados por todos os lados. Têm a impressão de ter tomado uma decisão acertada, de estar a caminho da recuperação da serenidade e da sanidade mental — sim, porque nesse ponto da experiência fica bastante evidente quanto a paixão corresponde a um estado alterado de consciência. Contudo, essa sensação de alívio dura apenas poucos dias, passando depois disso a prevalecer uma dor brutal, uma saudade insuportável da pessoa amada, uma sensação de que a vida perdeu o sentido. A dor derivada da perda amorosa, aquela dor tão temida, agora nos persegue dia e noite. Ela, que é parte relevante do fator antiamor, uma das razões que nos fazem fugir do amor, exatamente ela é que nos domina nesse momento. Na paixão, só temos duas saídas: ou enfrentamos os medos a ela associados ou temos de passar pela temida dor da perda daquilo que mais queremos. Ao tentarmos nos livrar de uma, percebemos que caímos na outra.

Surge o desejo de retomar a relação, agora com a convicção de que teremos as forças suficientes para levá-la adiante, uma vez que percebemos com todo o vigor quanto o outro nos é indispensável. Os amantes reaproximam-se com facilidade, pois o outro viveu todas as dores da mesma forma e tem a mesma vontade de retomar a relação. Pensam que dessa vez conse-

Uma nova visão do amor
Flávio Gikovate

guirão ficar juntos, ultrapassar os obstáculos que impedem a consumação da aliança efetiva e concreta. Mas qual o quê! O medo das tragédias e das inevitáveis passagens dramáticas que acompanharão essa renovada felicidade os acovarda de novo.** Voltam a pensar como antes, a dar peso excessivo aos pequenos obstáculos que foram o pretexto da separação. E a história se repetirá: separação associada a momentos de alívio, que desembocam em dramático sofrimento, seguido da busca de reaproximação com o amado. A repetição ocorrerá até que algum fator novo se instale, tal como o real agravamento das dificuldades externas — por exemplo, quando o cônjuge de um dos dois descobre o romance e decide tomar atitudes mais drásticas e radicais. Ou então a separação definitiva se dará quando um dos dois conseguir ter forças para oficializar a decisão e levá-la adiante, apesar da dor.

O sofrimento por que passam os amantes apaixonados no período que se segue à separação é indescritível. Igor Caruso o define como dor de morte, de ver-se morrendo na consciência do outro, de assistir, vivo, à própria morte. Apesar de não podermos saber qual seja efetivamente a dor relacionada com a morte, penso que a comparação é oportuna porque nos dá a dimensão de sua intensidade. A depressão se instala, de modo que tudo seja visto através da lente preta que esse estado nos coloca diante dos olhos. Nada parece ter sentido se não podemos estar ao lado da pessoa amada. Não conseguimos ter motivação alguma; muitas são as vezes em que nem mesmo

Uma nova visão do amor
Flávio Gikovate

trabalhar se torna possível. Não nos sentimos dignos, pois temos a sensação de que fomos covardes, de que fugimos do que mais queríamos por causa do medo — o que não deixa de ser verdade. Esse discurso, o da autorrecriminação e da lamentação, passa a ser constante na mente dos que se separaram contrariando os seus sentimentos. Todos os argumentos usados na hora em que a separação foi determinada agora parecem totalmente sem sentido. Sentem que cometeram um equívoco irreparável, que destruíram sua vida.

Talvez em nenhum outro instante de nossa vida tenhamos tão nítida consciência de quanto nos sentimos incompletos quando nos percebemos sós no mundo. **Vivemos a separação amorosa de modo dramático, como se tivéssemos perdido um pedaço de nós mesmos, como se tivéssemos nos desgrudado da nossa metade. Penso ser mais apropriado relacionar a dor derivada da ruptura romântica com o nascimento, e não com a morte. É dor de nascimento, a dor de termos de nos separar definitivamente daquilo que mais apreciamos, que, na ocasião, era a única condição conhecida e geradora de serenidade.** Uma vez ocorrido o afastamento amoroso, resta, mais uma vez, a percepção total da nossa sensação de incompletude, de que não nos sentimos inteiros quando ficamos com nós mesmos. Temos um desejo de independência e individualidade, mas ele esbarra neste terrível — e irracional — obstáculo: o de nos sentirmos péssimos quando estamos sós e, principalmente, distantes daquela pessoa que fora eleita

Uma nova visão do amor
Flávio Gikovate

para o papel de nossa outra metade. Experimentamos, como em nenhum outro momento de nossa vida, aquilo que se chama de solidão.

Se a paixão aconteceu na vigência de um casamento, estabelecido com um parceiro essencialmente diferente de si mesmo, a tendência daquele que está vivendo a dor da perda amorosa é permanecer na relação anterior. Apesar de todos os defeitos e de todas as brigas, essa solução costuma parecer melhor do que a ideia de ficar totalmente sozinho. A disposição para a busca de outros relacionamentos é nula, de modo que ficar em casa, eventualmente perto dos filhos ou de outros parentes, ainda é o que há de menos prejudicial. Se a pessoa já estava separada ou era solteira, viverá solitária pelos próximos tempos. Aquele que está casado também sentirá a dor da incompletude e o desespero que chamamos de solidão, pois estará afastado do seu objeto de amor, que, como sabemos, não poderá ser substituído com facilidade.

O tempo necessário para que recupere a identidade, para que volte a se sentir razoavelmente bem em sua pele, mesmo longe do amado, é muito variável, dependendo inclusive de quantas vezes a pessoa passou por situações de envolvimento emocional mais intenso; as experiências e repetições nos levam a aprender a nos recuperar mais rápido. Não devemos medir a intensidade do sentimento pela duração da depressão que se segue à separação. **Esse tempo, que poderá ser de algumas semanas até vários anos, dependerá antes de tudo da capacidade de cada pessoa de tole-**

rar dores e frustrações. **Dependerá também, e muito, do dano ao orgulho — sempre sinônimo de vaidade — durante o processo de separação, sendo mais ou menos ferido. Se a pessoa, de natureza mais competitiva, achar que "perdeu a parada" para alguém visto como rival, terá de suportar uma dor de "digestão" mais difícil.** Levará mais tempo para se apaziguar e se conformar com a perda.

A meu ver, uma pessoa forte é aquela que suporta bem as dores da vida, especialmente as mais dramáticas, entre as quais se inclui a que deriva do afastamento entre pessoas apaixonadas. **Ser forte é ter boa tolerância para as dores psíquicas em geral. Mas é também saber lidar adequadamente com a vaidade, uma vez que todos os fracassos nos ofendem no que diz respeito a essa área da nossa subjetividade.** Os fracassos podem ter sido determinados por nós mesmos; assim sendo, teremos de desenvolver a capacidade de aceitar nossas limitações, o que é uma enorme ofensa à vaidade, segundo a qual deveríamos ser ilimitados. Os fracassos também podem ter sido determinados pelo modo de agir de outra pessoa, o qual não podemos controlar; portanto, não podemos satisfazer o desejo, que parte da vaidade, de sermos onipotentes.

As pessoas que lidam melhor com as frustrações são, justamente, as que têm maior tolerância às dores e, em especial, às ofensas à vaidade — que talvez seja a maior dor psíquica, juntamente com a dor derivada da perda amorosa em si. Para elas estará reservada uma recuperação mais rápida (em particular se já tiverem trilhado essa rota em outras oportunidades). Sim, porque, para que possamos superar o drama da separação, precisamos ser capazes de entender seus mecanismos, e não nos deixar levar pela ideia de que perdemos uma luta simples e fácil. Além disso, é importante sabermos que será possível esquecer a pessoa amada, que ela voltará a possuir o *status* de neutralidade que tinha antes de nos apaixonarmos. Ter consciência desses fatos pode nos ajudar muito, algo que só pode ser comprovado por quem já vivenciou essa mágica às avessas, que faz que uma pessoa única volte a ser apenas mais uma criatura.

As experiências repetidas, durante as quais as pessoas mergulham na vida como um todo e na vida afetiva em particular, vão ajudando a forjar criaturas cada vez mais fortes. Isso como regra geral, pois algumas, ao contrário, acovardam-se diante de dores que são percebidas como insuportáveis. Elas se retraem e tratam de evitar novas experiências, pois não querem correr o risco de passar por outras amarguras e tristezas. No que diz respeito ao amor, transformam-se em pessoas totalmente desinteressadas por novos envolvimentos. São exemplo disso aquelas que, na mocidade, sofreram uma grande decepção sentimental e decidiram nunca mais se envolver com ninguém. Essa é a história de muitas das pessoas que ficam solteiras por toda a vida. A situação dos seres mais egoístas é diferente, pois nem sequer têm coragem para vivenciar a experiência amorosa e amedrontam-se antes mesmo de ter uma primeira grande decepção — afora as decepções, inexoráveis, ligadas às rupturas infantis.

A sequência de experiências, nas quais poderemos ter sucesso ou fracassar, vai nos ensinando algumas das coisas mais relevantes para que possamos construir um futuro melhor. É por meio dessa sequência de vivências que geramos ideias derivadas de fatos, testadas pela realidade. Para conseguirmos isso, é preciso que tenhamos disposição para tolerar as dores dos sucessivos "tombos" que fatalmente levaremos. **Forte é aquele que cai do cavalo, suporta todas as dores dessa queda — inclusive, e principalmente, as da vaidade —, recupera-se do tombo e reconhece-se com forças para voltar a montar.** Forte não é o que jamais caiu, pois não levará tombos quem não montar. Ele é o mais fraco de todos; não deixa de ser fraco mesmo que tenda a se mostrar como forte e poderoso. Forte é o que cai do cavalo e sobe de novo, depois de ter tentado entender as razões, se existiram, para o tombo que levou. **É preciso aprender com as experiências, especialmente com as negativas. Esse aprendizado terá de estar a serviço das novas experiências e da busca permanente de melhores resultados e de todo tipo de aprimoramento pessoal.**

Aqueles que ousam viver uma paixão são sempre os mais fortes, pois sabem, até por força das vivências infantis relacionadas com as ligações afetivas originais, que a experiência não é isenta de riscos. Sabem que a dor da perda é grande, mas talvez não a imaginassem tão grande assim. Ao terem de viver a efetiva separação, desenvolvem uma capacidade para lidar com dores psíquicas ainda maior do que a que tinham, pois têm de ultrapassar um dos maiores obstáculos que a vida pode nos reservar. Se porventura novamente tentarem vencer as barreiras que cercam a felicidade sentimental, isso comprovará que são pessoas fortes, que não desistem com facilidade da perseguição dos seus objetivos. Gostaram dos prazeres de uma ligação afetiva correspondida e irão atrás de sua realização, custe o que custar em termos de sofrimento.

É sempre gratificante acompanhar a trajetória de pessoas com coragem para não se deixar abater pelas dificuldades que a vida coloca na nossa frente. Algumas, porém, padecem de outro inconveniente, que é o de exercer essa ousadia sem nenhum critério. Ou seja, é como se não aprendessem tudo que deveriam com as experiências já vividas. Parecem suicidas, indo em direção às suas metas de olhos vendados. Quando são assim nas relações amorosas, são chamadas de pessoas que "amam demais", às quais já me referi anteriormente. Para elas, o sucesso na realização de seus anseios será mera coincidência. Quando a coragem vem acompanhada de uma boa dose de prudência — derivada de uma reflexão mais cautelosa acerca das situações parecidas já vividas — temos chances máximas de sucesso.

Isso é válido para todos os campos da vida, inclusive para as questões amorosas. **Enganam-se aqueles que acham que a razão não deve interferir nos assuntos do coração. Ser sentimental não significa renunciar à reflexão; isso é ser tolo.** Aliás, para termos sucesso na empreitada sentimental, é preciso que sejamos competentes para lidar principalmente com o medo, componente fundamental do fator antiamor. **Não estamos familiarizados com a concepção de que devemos tentar nos entender com nossas emoções, de modo que também para essa luta contra o medo estamos despreparados. Não é de estranhar que não possamos nos orgulhar do que temos conseguido no que diz respeito à nossa vida interior. Já avançamos bastante na conquista do nosso meio externo, do nosso *habitat*. É hora de conseguirmos conquistar nosso meio interno, nossos sentimentos, nossas emoções.**

quatro
O amor entre semelhantes

A união estável entre semelhantes corresponde à continuação das relações que se iniciam como paixão. **Quando predomina o amor e os medos conseguem ser vencidos, são ultrapassados também os obstáculos externos que impedem a plena e incondicional intimidade,** uma vez que eles, via de regra, são usados essencialmente para encobrir os temores internos. **A intensidade do amor mantém-se idêntica, ao mesmo tempo que a força do medo se atenua.** As pessoas envolvidas conseguem experimentar alguma serenidade, de modo que o sono, o apetite e a capacidade de se ocupar com as outras questões da vida prática vão voltando ao normal. **O desaparecimento desse estado de permanente inquietação é tido como o fim da paixão, o que talvez seja uma observação adequada. É tido também como um sinal de arrefecimento do amor, como o retorno a um estado mais comum, ordinário. Não vejo as coisas dessa forma.** Penso que o amor seja o mesmo e a alteração se relacione apenas com a diminuição do medo. Sobra o amor em um estado mais puro.

Esse é o caminho mais comum para a união entre semelhantes. Não é, porém, o único. O outro percurso corresponde à união que se estabelece pela antiga via da escolha do cônjuge por parte dos familiares, o que equivale mais do que tudo a uma aproximação determinada por jogos de interesses. Nesse caso, o que ocorre é que as pessoas que estão se casando não se apercebem da intensidade do sentimento que as une, pois não é esse o maior motivo para aquela união. Existem alguns casos, infelizmente pouco frequentes, de jovens que, por vontade própria, escolhem seus pares basicamente pela via racional. Isso acontece depois de terem tido decepções sentimentais mais dramáticas. Em virtude disso, dão preferência a alianças mais práticas, algo mais entre amigos do que movido por um "grande amor". Agem por conta própria, mas segundo os mesmos critérios que eram seguidos pelos nossos antepassados quando era sua função escolher os cônjuges dos filhos.

Por ironia do destino, acabam se afastando da tendência usual da juventude de se empolgar pelos opostos e se unem aos semelhantes. Com o passar dos anos, sentem-se mais e mais próximos, unidos por laços fortíssimos que relutam em chamar de amor, mas que correspondem exatamente aos que definem esse sentimento. Neste último caso, o medo inexiste porque as pessoas não se dão conta do sentimento que nutrem por seu par — ou nem mesmo sentem contar com algo além de uma "simples" amizade. Tudo começa de forma muito insidiosa e discreta, de modo que a serenidade é o que predomina. Costuma haver, ao menos nos primeiros tempos, certa sensação de covardia e incompetência por

Uma nova visão do amor

Flávio Gikovate

ter feito uma escolha tão racional e fugido dos perigos do amor. É só com o passar dos anos, com o amadurecimento e com a observação do que acontece com aqueles que se casaram "por amor" que essas pessoas percebem a qualidade da relação que estabeleceram.

Feita essa curiosa ressalva, voltemos ao fato mais comum, que é a aliança entre semelhantes concretizada a partir da atenuação do medo que existe nas paixões. O medo só se atenua ao ser enfrentado, sendo os primeiros tempos da vida em comum — que se estabelece como casamento e coabitação, ou não — ainda muito ricos no que diz respeito a essa emoção. Quando a união é consolidada contra a vontade de alguns parentes ou de ex-cônjuges, em geral temem-se, além da conta, retaliações por parte dessas pessoas. É como se elas tivessem se transformado nas vilãs da história, como se elas pudessem ser responsáveis pela tão temida destruição. **A verdade é que o medo da felicidade é muito forte nessa fase inicial das boas relações afetivas, o que indica que as pessoas ainda não se sentem totalmente competentes para "suportar" a cota de alegrias que a convivência harmoniosa determina.**

A situação complica-se ainda mais quando outros bons fatores eventualmente venham a existir. Por exemplo, caso haja uma promoção profissional, uma melhora da situação financeira ou qualquer outro tipo de satisfação especial, o medo tenderá a crescer desmesuradamente. O que costuma acontecer? Alguma discussão ou desavença desnecessária baseada em um motivo fútil. Seu intuito é

Uma nova visão do amor
Flávio Gikovate

apenas diminuir a quantidade de felicidade, uma vez que a briga, por menor e mais irrelevante que seja, será suficiente para tirar as pessoas envolvidas do clima de plenitude tão desejado, mas ao mesmo tempo não suportado. **É como se as pessoas felizes sentimentalmente tivessem atingido o seu patamar máximo de competência para administrar coisas boas, de modo que tendem a destruir outras possibilidades de avanço na qualidade de vida. Tornam-se, por isso mesmo, muito pouco exigentes do ponto de vista material e pouco ambiciosas quanto a posição e prestígio sociais. Para os que se amam, uma "cabana no sopé do morro" é mais do que suficiente.**

Os primeiros tempos da vida em comum desses novos casais tendem a ser mais reservados, distantes da vida social. As razões para isso são diversas; a principal delas deriva do fato de sentirem que se bastam e não quererem se dispersar no convívio com outras pessoas. **Querem ficar muito unidos, fazendo planos para o futuro, deleitando-se com o prazer da companhia, usufruindo o recíproco incensamento da vaidade do qual o discurso amoroso é pródigo: "Você é incrível, é a pessoa mais maravilhosa, linda e completa que já conheci, é uma deusa!" Outros motivos levam a essa tendência para a retração social, quais sejam, o ciúme e a pouca disponibilidade para dividir as atenções do amado com quem quer que seja, a escassa disposição para enfrentar as sutis manifestações da inveja que a maioria parte das pessoas sente diante daqueles que verdadeiramente se amam, bem como a pouca competência, já apontada, que os que se**

Uma nova visão do amor
Flávio Gikovate

amam sentem para desfrutar outras coisas boas além da vivência afetiva propriamente dita.

As separações inevitáveis, derivadas dos compromissos individuais, tornam-se menos dramáticas. Porém, persiste o desejo de se falarem várias vezes por dia. Querem saber como está o amado e também se ainda são amados. Querem certificar-se do amor, pois assim voltam a se sentir serenos. É compreensível toda essa insegurança, pois uma eventual perda amorosa corresponderia a uma dor talvez insuportável. É enorme também o medo de que algo ruim aconteça com o amado — e não apenas de que ele deixe de nos amar. A preocupação, tida como prova de amor, é, antes de tudo, parte do processo de autopreservação. Não raro isso desencadeia também uma série de comportamentos geradores de importantes restrições à liberdade de locomoção do amado. Este, para evitar que o companheiro fique preocupado e ansioso, deixa de fazer diversas coisas. Tudo isso se dá, ao menos no início dos relacionamentos, de modo voluntário e como prova de amor. **O processo não é autoritário nas intenções, mas no resultado.**

De todo modo, o tempo passado junto do amado oferece um nível de prazer e completude extraordinário. Deleitam-se um com o outro, com o que dizem, com o jeito do outro de ser e se comportar. **A presença do amado faz tudo que é preto-e-branco ficar colorido. Tudo que é incompleto torna-se completo e acabado. É exatamente assim que as pessoas se sentem.** Passar alguns dias em um local deserto é o sonho favorito dos amantes apaixonados, que agora finalmente pode ser realizado. **É ótimo dormir abraçado com o amado, com os corpos entrelaçados, tentando se engolir e fazer dos dois um só. A intimidade física torna-se total, o sexo ganha feições de uma plenitude que nem sempre fora experimentada antes. Sobra apenas a sombra indicando que tudo está "bom demais" para durar para sempre** e alguma coisa muito dolorosa poderá acontecer com mais facilidade.

A intimidade física e a sensação de que os corpos encaixam-se perfeitamente acompanham-se de processo parecido no plano intelectual. **É como se raciocinassem de modo muito similar, podendo mesmo adivinhar o que o outro está pensando com muita naturalidade. Sentem-se compreendidos de forma inédita.** Isso provoca uma enorme sensação de aconchego, de não estar só neste mundo árido, de estar completo em todos os sentidos. As divergências são poucas, e as de natureza prática parecem se resolver sem grande esforço, pois ambos estão sempre prontos para renunciar ao seu desejo em favor do amado. Por vezes, torna-se difícil decidir onde jantar, por exemplo, uma vez que ambos querem, mais do que tudo, agradar ao outro e não se dispõem a dizer o que realmente desejam. As tarefas do cotidiano fluem com muita tranquilidade, de modo que não há a sensação, antes temida, de que o amor possa ameaçar de fato a individualidade tão dolorosamente conquistada. **A verdade é que pessoas semelhantes em essência vivem juntas sem ter de fazer grandes concessões. Viver junto é, em muitos aspectos, bastante similar ao que**

Uma nova visão do amor
Flávio Gikovate

seria a vida solitária. Isso do ponto de vista dos aspectos práticos do cotidiano.

Não existem as brigas, os gritos e os desrespeitos tão típicos da vida conjugal das pessoas essencialmente diferentes. **Não existem, portanto, as "brigas normais dos casais". Não existem mentiras, e a confiança recíproca só tende a crescer.** Pessoas predominantemente generosas — e somente estas podem viver esse amor entre semelhantes — tendem a ter um senso ético mais bem estabelecido, possuindo valores interiorizados que são a matriz determinante da sua conduta. Se tais valores forem, como é a regra, os mesmos, torna-se previsível a atitude que o outro terá em dada situação. Nessas condições, podemos raciocinar sobre o outro baseados em nós mesmos. Essa não é, como pensam muitas pessoas, uma regra geral a ser seguida, pois só é válida diante de grandes semelhanças. **O carinho persiste ao longo dos anos. O prazer da companhia renova-se sempre, desde que se mantenham os fatores que determinaram o encantamento. Este deriva da admiração; assim, enquanto ela existir, persistirá a plenitude sentimental, que poderá durar, com facilidade, por toda a vida.**

Nossa ideia original, a de viver basicamente para "curtir" o grande amor, vai ganhando uma perspectiva mais realista. O amor aparece, para os que se apaixonam, como a meta, como o fim a ser alcançado. **Aos poucos, teremos de perceber que essa visão é inadequada, que o amor não é tudo. Pode ser que, após a paixão, as pessoas pensem que tenha havido uma diminuição de intensidade da emoção, o que não corresponde à verdade.**

Uma nova visão do amor
Flávio Gikovate

O amor nos dá paz, faz que sintamos a completude que tanto ansiávamos — isso quando estamos próximos do amado e quando não existem divergências maiores —, mas não é capaz de nos dar tudo que dele esperávamos. Não nos faz viver nas nuvens por toda a eternidade, nem ser "felizes para sempre", como sugerem os contos de fadas e os filmes românticos mais superficiais.

O amor é um fenômeno homeostático que nos afasta da dor derivada da solidão e da sensação de incompletude. Ele nos dá a paz desejada e, na transição da dor para esse estado, provoca em nós imenso prazer e felicidade. Depois, como acontece com quase tudo, habituamo-nos a esse estado e dele não conseguimos mais tirar tanto prazer. Insisto no fato de que o prazer só existe durante a transição de uma situação pior para outra melhor. A sensação prazerosa renova-se quando ocorrem inevitáveis afastamentos. Depois de certo tempo longe da pessoa amada, sentimos a dor da saudade, a qual, quando não muito intensa, enche-nos de satisfação. Sentimo-nos orgulhosos por termos tido a coragem de estar unidos a uma pessoa que é, de fato, nossa metade. Sentimos muita falta dela, e isso renova a convicção sobre os sentimentos que ela nos desperta. Percebemos a dimensão do nosso amor, da força que nos une ao amado justamente quando estamos longe. Regressar torna-se um imenso prazer, momento em que se sente até mesmo o palpitar dos primeiros tempos. **Está aí, intacto, o amor que o cotidiano teima em esconder.**

Nossa razão ocupa-se essencialmente do que está indo mal, de forma que a plenitude sentimental, quando presente, vai para um segundo plano — desde que não sejam muito fortes as ameaças determinadas pelos medos inerentes ao processo amoroso. O mesmo acontece com a sexualidade, à qual sempre damos mais atenção quando temos algum problema ou dificuldade. É o caso também da saúde, pouco importante a não ser nos dias que se seguem ao fim de uma doença. Da mesma forma, o amor torna-se essencial e indispensável quando não está presente, e menos importante quando o temos.

Ao nos apercebermos dessa peculiaridade, tendemos a certo apaziguamento, uma vez que compreendemos que não se trata de uma diminuição da intensidade do amor, mas de um processo psíquico que nos torna cada vez menos competentes para nos deleitar com o que já conquistamos. Ele nos impulsiona na direção de novos objetivos, e talvez isso seja até benéfico. **Apesar de felizes no amor, passamos a nos interessar outra vez por nossos projetos pessoais e começamos a desejar, como sempre, aquilo que não possuímos e ainda não conseguimos realizar.** Como regra, nos relacionamentos bem estruturados, os planos tornam-se parte da vida de ambos. Isso é verdadeiro mesmo quando cada um se atém a uma parcela diferente do projeto em comum. Conversam muito sobre suas atividades, que são de interesse mútuo em virtude do caráter societário da união. A glória de um é também a do outro. Fracassos e dificuldades também são compartilhados. **A vida em conjunto ganha novo colorido, pois agora o par, ligado pelo amor, integra-se ainda mais pelo estabelecimento de projetos em comum.**

Uma nova visão do amor
Flávio Gikovate

Nem tudo, porém, são rosas nas casas onde vivem pessoas que realmente se amam. **Apesar de não ser verdadeira a teoria de que a ocorrência de coisas boas aumenta as chances de aparecimento de tragédias e sofrimentos, é fato que a felicidade sentimental não impede que todas as agruras da vida vez por outra cheguem até nós.** Tudo pode nos acontecer, de modo que, se tivermos uma vida longa, teremos de passar pelas rupturas determinadas pela morte dos nossos pais, pelo crescimento e desgarre dos nossos filhos, pela traição de pessoas nas quais confiávamos, por perdas materiais, pela perda da nossa juventude, da nossa saúde e eventualmente da pessoa amada, companheira de décadas. É algo ingênuo, pois, pensarmos no amor como remédio para todos os nossos males. O amor poderá, no máximo, atenuar o desamparo que sentimos e nos provocar sensações adoráveis de aconchego e unidade. Por isso, a vida tem de ser pensada de modo integral, considerando-se as muitas adversidades e sofrimentos para os quais teremos de nos preparar, tornando-nos competentes para lidar melhor com as dores da alma.

É verdade que a existência de um vínculo afetivo intenso pode ser de grande valia para que possamos ultrapassar com mais facilidade os obstáculos inevitáveis da vida. É verdade também que muitos dos problemas que existem nos casamentos governados por brigas e pela destrutividade, derivadas da inveja, não aparecem nas relações entre semelhantes. Porém, algumas das dificuldades inerentes à vida em comum não podem deixar de estar presentes aqui também. Nem sempre as afinidades existem nos mínimos detalhes, de modo que a perturbação pelo ronco, pelas diferenças nos horários de dormir, acordar e se alimentar, pelas diferentes preferências de temperatura e tantas outras questões que tornam difícil o cotidiano em conjunto podem igualmente surgir nesse tipo de relação. O fato é que, havendo confiança recíproca e diálogo aberto, muitas das soluções práticas para esses conflitos — pequenos, mas relevantes — podem ser mais bem negociadas.

As divergências se dão em um clima mais civilizado, no qual não cabem as ofensas e grosserias. Porém, elas não deixam de existir e de nos mostrar que, embora possamos ser muito semelhantes à pessoa amada, não podemos ser iguais a ela. Surge a sensação de ser exterior ao outro, dolorosa por nos lembrar que a ideia de que somos uma coisa só não corresponde à realidade. Se nos casamentos usuais as diferenças de opinião e no modo de ser provocam as tão conhecidas brigas, aqui elas determinam grande tristeza. Isso acontece justamente porque nos sentimos abandonados, traídos. **Quando a pessoa amada não concorda com nosso ponto de vista, sentimo-nos de novo sozinhos, desamparados. É o momento em que percebemos, de modo claro, os limites e as limitações das relações amorosas.** Elas nos dão a sensação de completude, de que nos tornamos "inteiros" pela presença do amado. Logo depois, voltamos a experimentar o "buraco" que nos caracteriza como criaturas incompletas, ou pelo menos que se sentem assim.

Uma nova visão do amor

Flávio Gikovate

A percepção das limitações do fenômeno amoroso nos provoca dupla dor: a pessoal, por nos sentirmos solitários de novo; e a de natureza mais geral, em virtude de notarmos que o sentimento tão louvado e do qual tanto esperávamos não poderá nos dar tudo que pretendíamos ter. É muito importante distinguir os dois aspectos, uma vez que é uma tendência nossa achar que o problema está ligado àquele parceiro, e não à própria natureza do amor. É também quase inevitável o desenvolvimento de certa hostilidade à pessoa amada, como se ela tivesse "culpa" pela nossa sensação desagradável. Ao mesmo tempo, temos consciência de que a divergência não tem o objetivo de nos magoar, o que é mais comum nas relações em que a inveja é predominante. Sabemos que a pessoa amada pensa de modo diferente do nosso, o que tende a atenuar a mágoa, apesar de atribuir uma gravidade maior à divergência, que não poderá ser sanada com facilidade nem resolvida "por decreto".

Nossa dificuldade de lidar com diferenças de opinião aparece agora de modo inequívoco e mostra-nos uma de nossas facetas mais dramáticas: queremos encontrar um jeito de ficar unidos com outra pessoa; no entanto, queremos que isso aconteça exatamente nos nossos termos! E mais: queremos que o outro esteja absoluta e sinceramente convencido de que temos razão, concordando conosco em tudo. É a tendência que temos para tentar conciliar, assim, nossa individualidade com nosso desejo de viver bem próximos da pessoa amada. **Surge um forte impulso na direção**

Uma nova visão do amor
Flávio Gikovate

da dominação do outro, que pode se exercer de modo grosseiro nas relações mais comuns e que aparece de forma mais sutil e delicada entre os que verdadeiramente se amam. Não há saída fácil para esse dilema, uma vez que o desejo de permanecerem juntos a maior parte do tempo é um imperativo romântico. Por outro lado, ninguém gosta de fazer concessões em questões relevantes e por longo tempo. Felizmente, nas relações entre semelhantes essas questões aparecem com pouca frequência, justamente por causa das grandes afinidades. Mesmo assim, são de fundamental importância teórica, como tentarei demonstrar no próximo capítulo.

Esse mecanismo, relacionado com a nossa tendência de tomar as diferenças de opinião como formas de abandono e ofensa pessoal, não é o único a desencadear reações possessivas, mesmo entre os que se amam e confiam um no outro. A desconfiança provoca o ciúme, derivado de uma possível iminência de perda para outra pessoa, uma sensação pessoal de insegurança e ameaça permanentes. Além disso, o ciúme aparece também quando sentimos que a pessoa amada está muito atenta e interessada em qualquer outra criatura. Não se trata de ciúme sexual, pois pode surgir mesmo quando, por exemplo, uma mulher está dando atenção à mãe ou à filha. Nas relações entre opostos, a desconfiança sexual é muito mais intensa pela incerteza quanto às palavras e intenções do outro. **Aqui o problema é outro: são tão intensas as ligações existentes e é**

Uma nova visão do amor
Flávio Gikovate

tão regressivo o fenômeno amoroso — especialmente quando bem-sucedido — que não se pode tolerar que nenhuma outra pessoa seja relevante ou interessante para a pessoa amada. Será que é assim que se sente o bebê quando alguém se aproxima de sua mãe? Não se trata de medo da perda, e sim de não suportar a ideia de dividir o amado com quem quer que seja.

Quando as pessoas verdadeiramente se amam, elas sentem uma necessidade permanente de ser o único objeto das atenções e do interesse do amado. Quando isso não ocorre, sentem-se imediatamente traídas, abandonadas, ofendidas; imaginam que seus direitos foram desrespeitados. O componente de vaidade associado a esse tipo de ciúme é muito importante, pois, insisto, não se trata aqui do medo de perder o amado, mas do desejo de ser sempre aquela criatura única, especial e insubstituível. **É bastante evidente também a influência desse tipo de sentimento recíproco na tendência para o recolhimento social dos que se amam. Conviver significa compartilhar, e isso é visto, ao menos nos primeiros tempos, como algo pouco interessante, quando não penoso.**

Não é o caso aqui de fazermos longas observações acerca dos problemas que esse tipo de ciúme provoca até mesmo num eventual relacionamento do casal com seus próprios filhos. A criança, por mais desejada que seja, será uma terceira criatura, disputando a atenção e o carinho dos pais. Ainda mais complicadas são as relações do novo casal, constituído em bases realmente românticas, com os filhos que porventura tenham de relacionamentos anteriores. O ciúme torna-se intensíssimo, e não só pode ser causa de desentendimentos e tensões como pode ser suficiente para determinar a ruptura da ligação amorosa. **É sinal de ingenuidade imaginar que tenderemos a amar os filhos da pessoa que amamos.** Mesmo que seja enorme nosso desejo de agradar-lhe, não teremos condição alguma de partilhá-la com quem quer que seja.

Surge, pois, um processo de dominação recíproco, em que o "cativeiro" estabelece-se de modo voluntário. Algumas pessoas não se incomodam em viver assim para sempre e, do seu modo, sentem-se felizes em ser o que há de mais importante na vida do outro. **Outras, porém, acabam por sentir-se cada vez mais sufocadas e começam a desenvolver um forte desejo de independência.** Esse desejo é mal-entendido no início, pois, afinal de contas, esses indivíduos deveriam estar plenamente felizes com a realização do sonho romântico. A própria pessoa não se entende, e muito menos o seu par, que, ao ouvir qualquer tipo de discurso mencionando a individualidade, só poderá se sentir abandonado e traído. Não se trata de medo da felicidade, pois essa emoção só nos assola durante os processos novos, nas transições para uma situação melhor. Dessa forma, ele só reaparece quando à felicidade sentimental se acrescentam novos motivos de satisfação. **O que acontece aqui é bastante diferente: a pessoa passa a se sentir presa em uma camisa-de-**

-força, oprimida pelas inesperadas limitações advindas do processo romântico.

A surpresa deriva do fato de o fenômeno ser totalmente insuspeitado. Foram tão poucas as pessoas que passaram por esse território que as informações de que dispomos são escassas. Os poucos que sabem alguma coisa calam-se, pois não é conveniente colocar defeitos no sagrado sentimento do amor. Cometo o "delito" de afirmar que não se trata de medo ligado a coisas boas, e sim de certa dor e decepção pelo alto preço que se tem de pagar pela fusão amorosa. Esse é mais um ingrediente do complexo fenômeno que estou pretendendo dissecar, tema de reflexão mais profunda nas páginas que virão. Fica, mais uma vez, o registro de que, ao contrário do que ocorre nas relações entre pessoas diferentes — em que uma domina e a outra deixa-se dominar —, surge uma espécie de submissão recíproca derivada do pavor de magoar o amado. Para que isso não ocorra, evita-se tudo que possa causar-lhe dor. Compõe-se um sistema de autolimitações recíprocas, que acaba desembocando em um processo autoritário tão ou mais doloroso do que o que se observa entre pessoas diferentes.

Se nas ligações entre pessoas essencialmente diferentes o maior medo é perder o parceiro para outra pessoa, agora o medo é de que o amado deixe de nos amar. Ou seja, o pavor não é de traição, mas de perder a admiração do outro. Trata-se de uma sensação horrível, em virtude da qual a pessoa envolvida no relacionamento amoroso intenso sente-se testada o tempo todo, exigida nos mínimos detalhes. O medo de decepcionar o amado a persegue em cada nova ação, em cada situação em que não imagina a reação dele. Ninguém teria condições para prever que uma complicação dessa ordem estaria associada ao amor, de modo que as surpresas desagradáveis vão se somando. Todas elas estão relacionadas com as concessões que temos de fazer no que diz respeito à nossa individualidade para que não percamos o objeto amado. O medo de decepcionar o outro significa que não temos certeza de ser aceitos exatamente como somos. Nem podemos ter essa certeza de modo antecipado, pois vimos como é enorme nossa dificuldade para aceitar qualquer tipo de diferença de opinião ou no modo de ser e agir.

Vai se tornando cada vez mais claro o fato de que existe, realmente, certo antagonismo entre o amor intenso e a individualidade das pessoas envolvidas. Fica evidente, para quem já viveu esse tipo de experiência, que são muitas as situações nas quais o amor aparece como uma vivência opressiva e sufocante. Ao compararmos esses relacionamentos com outros que tivemos, estabelecidos com pessoas diferentes, percebemos, por um lado, que se trata de ligação incrivelmente mais gratificante, muito mais delicada e sutil, bem mais serena e estável do ponto de vista da confiança depositada no amado. **Por outro lado, o amor intenso e recíproco é muito mais exigente,** e sentimo-nos obrigados a dar o máximo de nós mesmos em

Uma nova visão do amor
Flávio Gikovate

tempo integral, sentimo-nos constantemente avaliados por alguém cuja opinião prezamos muito. **A menos que se consiga ultrapassar essa fase, vive-se a relação com um nível de tensão bastante superior ao que se poderia esperar.** Não é impossível que a percepção desses mecanismos seja relevante na decisão, por parte de muitas pessoas que vivem a fase da paixão, de interromper o relacionamento sentimental pleno, até mesmo em favor de outro mais superficial.

Os processos de interferência na individualidade são bastante complexos nos relacionamentos intensos. Divergem substancialmente dos que são encontrados nos relacionamentos convencionais. A grande diferença reside no fato de que as restrições e limitações são autoimpostas. As exigências do parceiro existem, mas não são explícitas. A comunicação é delicada e muito educada. As pessoas que se amam tratam-se com carinho o tempo todo, de modo que não é assim tão simples percebermos que existem intensas expectativas recíprocas que não podem deixar de ser cumpridas, sob pena de perda da admiração — leia-se perda do amor. **Por um lado, existe o medo de perder a afeição do amado e, por outro, o genuíno desejo de agradá-lo e de fazer dele a criatura mais feliz de todas — o que também não é algo isento de um significativo componente de vaidade. Abrir mão do nosso ponto de vista ofende nossa identidade. Mantê-lo ofende e magoa a pessoa que amamos, e para quem só desejamos o melhor. Fica difícil decidir o que fazer.**

Uma nova visão do amor

Flávio Gikovate

Nos longos períodos em que não há divergências nem dilemas — que constituem a maior parte do tempo —, as pessoas que se amam vivem em ambiente de concórdia e harmonia, experimentando a sensação de completude própria dessa emoção. As conversas são sempre muito ricas e a confiança recíproca cresce com o convívio. As relações sexuais tendem a ser muito intensas e livres de qualquer tipo de restrição. O prazer da companhia se renova, não havendo a necessidade de brigas para que o convívio deixe de ser tedioso. Há momentos monótonos, que existem também para quem vive só e para quem convive com alguém essencialmente diferente. A serenidade, por vezes, aparenta ser pouco atraente, de modo que não é raro que tendamos a ir atrás de algum tipo de aventura. Isso pode ser feito por casais que, cansados da rotina, decidem envolver-se em algum tipo de projeto que torne a vida cotidiana mais atraente. Pessoas inteligentes não têm dificuldade de encontrar soluções criativas para esse tipo de problema. Ademais, os momentos de serenidade são menos frequentes do que pensamos, pois a vida prática se encarrega de nos trazer dilemas, alegrias e tristezas.

Sempre que os casais que se amam vivenciam novas alegrias e conquistas além daquelas às quais já haviam se habituado, voltam a sentir o medo da felicidade. Sempre da mesma forma, ou seja, são tantos os seus privilégios que isso acabará por trazer algum tipo de dor ou de tragédia. Não nos acostumamos com a felicidade, não deixamos nunca de sentir medo quando outra coisa boa nos acontece. Surgem os sobressaltos e se renovam nossas tendências destrutivas. É melhor provocar alguma coisa ruim antes que o destino se encarregue de fazê-lo. É melhor destruir uma parte da alegria antes que uma desgraça maior nos assole. É como se fosse um pedágio, um imposto: pagamos antecipadamente com o intuito de impedir, segundo um modo supersticioso de pensar, desastres maiores.

Estragamos uma parte da nossa felicidade objetivando preservar o principal. E nessas horas surgem as pequenas brigas, pouco relevantes, entre os casais que se amam. Alguma frase mal formulada é suficiente para que pessoas extremamente sensíveis sintam-se muito magoadas, ainda mais vindo a ofensa do amado, alguém de quem jamais esperaríamos qualquer tipo de atitude desagradável e negativa. Esses acontecimentos são totalmente irrelevantes, tanto que nem são registrados na memória. Eles apenas demonstram a tendência destrutiva trazida pelo medo da felicidade. Ou seja, a felicidade acaba determinando o surgimento de coisas ruins. Entretanto, isso não se dá porque "atraímos" coisas ruins quando estamos bem; somos nós mesmos que, não suportando estar bem, agimos de modo destrutivo.

Os que se amam vivenciam, pois, três estágios: o de serenidade e harmonia inerentes às afinidades sentimentais; o de grandes momentos de felicidade próprios do surgimento de mais alguma coisa boa,

Uma nova visão do amor
Flávio Gikovate

que, por sua vez, determina tendências destrutivas e sabotadoras até mesmo da própria relação; ou então o das divergências de pontos de vista, que implicam enormes dores e graves ofensas a individualidades bem constituídas. Tanto o medo da felicidade como as mágoas derivadas de renúncias a pontos de vista nos quais se acredita de fato constituem importantes fatores de tensão nessas relações que, afora isso, são plenamente gratificantes e atingem os objetivos que se propuseram. O medo de perder o amado, que é tão forte entre os que são diferentes e também faz parte do fator antiamor, aqui se manifesta em associação com a questão da individualidade, uma vez que só nos sentimos ameaçados de perda se não formos capazes de sustentar a admiração do outro, por força das diferenças de opinião.

Não tenho a menor dúvida de que as relações afetivas desse tipo são incrivelmente mais ricas e gratificantes do que as frouxas e superficiais ligações que se estabelecem entre opostos. Acredito que somente elas deveriam ser chamadas de relacionamento amoroso. Quem se aventurou nessa empreitada não se arrependeu. Aprendeu muito a respeito de si mesmo, sendo esse um dos aspectos mais interessantes e importantes das relações íntimas. Sentiu-se orgulhoso por ter ousado, por ter tido a coragem de enfrentar o fator antiamor e entender melhor todos os seus ingredientes. **Esbarrou nos obstáculos que apontei e foi capaz de perceber que limitações existem até mesmo no amor** verdadeiro. Alguns talvez optem, nesse ponto de sua vida, por viver sós, escolha mais fácil para quem já se aventurou pelos caminhos descritos. Outros talvez prefiram continuar perseguindo as saídas para os dilemas do amor. Tentarão saber se existe algo para além do amor.

Para além do amor

Minha maior preocupação, ao iniciar este capítulo decisivo do livro, é fugir da tentação de destruir uma ilusão — a do amor — e, mais que depressa, criar outra. A leitura dos capítulos antecedentes mostra como são grandes — se não intransponíveis — os obstáculos que separam o sonho romântico da sua realização. Isso significa, de acordo com um modo de pensar que cada vez mais me encanta, que há algum equívoco na raiz das nossas concepções sobre o tema. **Ou seja, sempre que pensamos erroneamente, chegamos a um resultado inesperado e negativo. Sendo o amor um anseio tão forte em todos nós e sua viabilização a razão de existir para tantas pessoas, o engano no qual ele está envolto deverá ser muito sério para que ainda não tenha sido adequadamente solucionado.** É preciso que se entenda também que importantes fatores emocionais interferem no processo, de modo que o erro conceitual nem sempre é tão grande quanto a nossa incapacidade para agir de acordo com aquilo que nos conduziria a um bom termo.

Afinal de contas, em que consiste o grande equívoco? Ele reside na ideia básica de que o ser humano não se resolve em si mesmo, de que só podemos atin-

Uma nova visão do amor
Flávio Gikovate

gir um razoável estado de harmonia e tranquilidade pela fusão de duas pessoas. A essência dessa visão deriva da sensação de que não somos uma unidade, e sim uma metade. Essa metade, como no mito do andrógino, descrito por Platão em *O banquete*, vive triste, buscando re-encontrar a metade perdida. Já apontei as óbvias semelhanças entre essa concepção que nos persegue ao longo da vida e as circunstâncias que cercam o modo como fomos gerados e os momentos iniciais de nossa vida. Talvez a repetição, nesse ponto, seja capaz de provocar no leitor o mesmo impacto que sempre me causa: é incrível como nossas vivências primárias, a da gestação e a do parto, possam definir tão intensamente nossa subjetividade, a ponto de gerar toda uma concepção, aparentemente racional, a respeito de como deveremos agir no decorrer de toda a nossa existência posterior.

Essa forma de ver a essência da vida fundamentou-se na persistência de uma sensação subjetiva de incompletude e de um estado de ansiedade e dor daí derivados. **Não foi por nenhuma razão teórica que se chegou à ideia de que o homem não se completa por si mesmo. Foi por ele se sentir inacabado, com um "buraco" no estômago, ao perceber-se só. A sensação de incompletude foi interpretada como um sinal de que o nosso caminho seria o da fusão com outro ser humano.** Essa não foi a única solução dada ao dilema central da nossa condição; é bom lembrar que o romantismo, como nós o conhecemos e vivenciamos, não tem mais do que poucos séculos de existência. A sensação de incompletude sempre pediu algum tipo de integração dos seres humanos entre si. Antes da era romântica, essa integração fazia-se essencialmente em relação aos parentes, em especial àqueles que eram nossos objetos primeiros de amor — a mãe, em particular. Essa integração completava-se com os sentimentos de amor à pátria e a Deus, associados a um aconchego derivado de processos mais amplos que até hoje costumamos vivenciar.

O romantismo, ao pregar a fusão entre um homem e uma mulher, representou grande avanço no que diz respeito à economia afetiva que existia nos clãs familiares. Os parceiros passaram a ser escolhidos voluntariamente e já funcionavam como substitutos das figuras amorosas originais. A escolha dos parceiros românticos se fazia, até certo ponto, em oposição aos padrões defendidos pelo estilo de vida do clã. Provocava os clássicos antagonismos que aparecem, por exemplo, em *Romeu e Julieta*, de Shakespeare. Houve, pois, uma espécie de revolução, alterando o modo de pensar das pessoas e, consequentemente, sua postura diante da vida.

Fenômeno ainda mais dramático está ocorrendo em nossos dias, apesar da dificuldade das pessoas em compreender e aceitar o que está em curso. É bom que saibamos que tudo continuará a acontecer independentemente de nossa vontade e de nossas convicções. Não temos poder algum sobre os movimentos inexoráveis que se processam a partir de avanços tecnológicos que nós mesmos determinamos. **Do mesmo modo que, após**

Uma nova visão do amor
Flávio Gikovate

a invenção da pílula anticoncepcional, não podemos pretender que nossas filhas se mantenham virgens até o casamento, não podemos, após a invenção e disseminação da televisão e do computador, após tamanho desenvolvimento dos meios de transporte e de comunicação, pretender que a vida afetiva continue a ser a mesma dos tempos em que nem mesmo a luz elétrica existia. É melhor não nos iludir: toda vez que modificamos dramaticamente nosso *habitat*, a ele teremos de nos readaptar. Surgem os requisitos para uma revolução de costumes, para que algo de novo — e, se possível, melhor — possa nos acontecer.

O romantismo significou a concentração das aspirações afetivas em uma única pessoa. Os critérios para o encantamento sentimental eram desconhecidos e tidos como fruto de algum procedimento mágico. A verdade é que ele se dava, como regra, entre opostos. Na fase anterior, na qual o parceiro conjugal era escolhido pelo clã — e de acordo com os seus interesses —, o critério costumava ser mais racional, levando em conta as afinidades e as conveniências entre as famílias envolvidas. **Assim, o romantismo, ao se rebelar contra tal racionalidade, não poderia deixar de se comprometer, ainda que de modo pouco deliberado, com seu oposto: o amor teria de ser um fenômeno irracional. Seria tanto mais emocionante e épico quanto mais se apresentasse de forma desinteressada, e até mesmo inconveniente.** No final das contas, o romantismo significou a concentração dos afetos em um só parceiro e também estabeleceu um novo modo para sua escolha, com aspecto mágico e essencialmente irracional. A partir daí, tais peculiaridades passaram a ser entendidas como próprias do "verdadeiro amor", como parte essencial dessa emoção que a todos tentava, encantava e atraía.

E qual é a revolução para a qual temos de nos preparar, nós que queremos viver melhor no novo mundo que nós mesmos criamos? Temos de entender que esta talvez seja a mais drástica e radical de todas as revoluções que vivemos até agora, pois ela representa uma mudança brutal em nossas convicções. **Temos de nos adaptar à ideia de que, apesar de o homem se sentir incompleto, isso não significa obrigatoriamente que ele o seja. E, mesmo que seja, isso não quer dizer que terá de se completar pela fusão com outra pessoa.** O salto é qualitativo, e não quantitativo, porque a questão não está mais focada na possibilidade de nos "fundir" com um ou vários parceiros nem nas características deles. A nova proposta, resultado da evolução científica, tecnológica e social, é a de que cada pessoa deverá empenhar-se para conseguir ser uma unidade, para tentar, da melhor maneira possível, sustentar-se sobre as próprias pernas.

Mas, afinal, isso deve ser entendido como uma fatalidade? Como um desdobramento negativo dos nossos progressos tecnológicos, que nos fazem cada vez mais solitários e frustrados? Ou é uma evolução, algo positivo, que só agora se faz possível? Tudo isso levará ao fim do romantismo, do amor e da família tal como os conhecemos (e aprendemos a apreciar)? Parece-me extremamente oportuno nos aprofundarmos um pouco nessas questões, pois elas estão na base dos grandes problemas humanos de nossa época. Antes de mais nada, gostaria de repetir que esse processo é inexorável e que não discutirei se ele é bom ou não na tentativa de estimulá-lo ou refreá-lo. Ele repete o que aconteceu a todos nós no nascimento e durante os primeiros anos de vida: saímos da simbiose total para os vínculos amorosos com nossa mãe; a transição pode não ter sido boa, mas era inevitável. Depois nos apegamos a outras figuras amorosas durante a infância e também na fase adulta, sempre tentando reconstituir a simbiose perdida; surge um antagonismo permanente entre o amor assim estabelecido e os anseios crescentes de independência e individualidade. Agora é chegada a hora de essa individualidade finalmente se exercer como prioridade. Não sei se isso é bom ou mau; sei apenas que essa é a tendência e não podemos nos opor a ela, sob pena de padecimentos maiores.

Acredito que as coisas se tornam boas quando nos adaptamos a elas e não resistimos ao que é inevitável. É muito importante sabermos que as coisas não são como gostaríamos; os deuses não nos consultam antes de tomar suas decisões. Independentemente de tudo, é chegada a hora de o homem repensar suas peculiaridades, de modo a poder se sentir razoavelmente confortável como uma unidade, deixando de se comportar como uma metade em busca da outra para que se sinta completo. **Quando**

Uma nova visão do amor
Flávio Gikovate

penso com mais serenidade, percebo que essa concepção do homem como uma metade é tão terrível e desastrosa que, mesmo não sendo ideal o conceito de que somos uma unidade, não posso deixar de acreditar que a evolução nos favorecerá. Nossa tendência conservadora opõe-se a tudo que é novo, e é bem possível que ela nos faça ver como muito dolorosa uma mudança bastante favorável.

A observação mais imparcial nos levaria a concordar com Erich Fromm, ao considerar — no livro *O medo à liberdade*[7] — que a história da nossa espécie parece ser uma incansável luta contra o ato de tornar-se adulto e independente. Apesar da resistência, tudo indica que estamos perdendo essa luta, de modo que, enfim, seremos obrigados a crescer; algo difícil, pois requer mais esforço da nossa parte. Aparentemente, é melhor continuarmos como crianças, sendo cuidados por nossa mãe — e depois por nosso cônjuge. Contudo, além de essa dependência custar-nos um preço alto, sempre existe a possibilidade de que o outro não queira mais cuidar de nós; essa condição envolve riscos e expectativas de dores totalmente desnecessárias e superáveis. Crescer significa ter de cuidar de si. Significa finalmente reconhecer-se como uma unidade, e não como uma metade, além de, até certo ponto, aceitar o fato de ter nascido e se separado da mãe em definitivo. Significa entender que nossa espécie, como ocorre com tantos

7 FROMM, Erich. *O medo à liberdade*. Trad. Octávio Alves Velho. Rio de Janeiro: Zahar, 1968.

outros animais, é constituída de indivíduos, e não de pares. Isso não quer dizer que os indivíduos não possam se agrupar em pares; entretanto, tal tendência distingue-se da concepção de que esses pares passem a ser a unidade. **Cada um de nós terá de ser uma unidade, quer isso nos agrade, quer não.**

É importante ressaltar que essa afirmação se faz, inicialmente, por meio de um processo racional e se exerce apenas nesse plano. Ou seja, mesmo que concordemos com ela, o "buraco" que nos persegue desde o primeiro dia não desaparecerá. É bem provável que nós, como geração, jamais sejamos capazes de livrar-nos dele. Talvez sejam necessárias várias gerações para que possa haver efetivas modificações nas questões mais essenciais de nossa existência íntima. **O que será possível para nós**, à medida que formos nos apercebendo do processo, **é uma progressiva capacidade de tolerar e conviver com o "buraco", com a sensação de vazio e incompletude que nos caracteriza. Ficaremos cada vez mais convencidos de que sua existência é o sinal de uma ferida mal curada do passado, mas para a qual não há remédio no presente** — a não ser em caráter precário e com um custo altíssimo, já descrito no capítulo anterior. Sentiremos certo conforto ao saber que não se trata de nenhum tipo de inadequação ou fraqueza pessoal. Isso sempre determina uma atenuação das dores que sentimos. Porém, o "buraco" e suas dolorosas sensações não desaparecerão por completo.

Uma nova visão do amor

Flávio Gikovate

Fato que nos ajudará bastante a lidar com o "buraco" será a existência de um grupo crescente de pessoas em condições semelhantes. Numa comunidade em que quase todo mundo vive em simbiose amorosa — boa ou má —, aqueles que estão sozinhos se reconhecem como "anormais", como "piores", como malsucedidos. Essa é, de fato, uma vivência interior capaz de abalar nossa autoestima, impulsionando-nos a pretender, com urgência, um relacionamento qualquer. Nossa vaidade sente-se profundamente ofendida — isto é, sentimo-nos humilhados — quando nos reconhecemos ou somos tratados como inferiores. **Na fase atual, de transição, ainda estamos submetidos ao regulamento tradicional, no qual é "superior" aquele que vive em simbiose com alguém. Falta muito pouco para que as pessoas percebam que essa concepção não é verdadeira. Logo elas saberão que é sinal de maior força interior poder ficar só, em vez de mal acompanhado. Quando isso acontecer, será inevitável a inversão dos valores: o "fraco", o "inferior" será aquele que permanecer em um relacionamento mesmo não estando feliz com o convívio.**

Seguindo esse caminho, que já está se abrindo, graças às mudanças que pudemos fazer ao nosso redor, seremos cada vez mais fortes e competentes para a independência. Gostaremos cada vez mais de não ter de fazer grandes concessões nem de abrir mão de nossa individualidade, enfim conquistada. **Ficar só não apresentará mais o peso dramático presente na palavra "solidão", que apavorou tantas gerações. Ficar só dei-**

Uma nova visão do amor
Flávio Gikovate

xará de ser um fantasma e tenderá a se transformar em algo muito bom. O que estou prevendo para o futuro da maior parte das pessoas já faz parte do presente de muita gente. Essas pessoas não se livraram por completo do "buraco". Porém, pode-se dizer que hoje convivem perfeitamente bem com seu "buraquinho", visto como algo menos doloroso do que conviver com alguém no seio das clássicas relações de dominação. Ser capaz de viver só e de se bastar está se transformando em qualidade porque está de acordo com as necessidades de adaptação à nossa nova realidade. Essas inversões de sinal nos valores não se dão para o deleite de algumas pessoas, e sim porque novos fatos determinam novas avaliações.

O mundo contemporâneo, sem que fosse essa a intenção de ninguém, cria as condições para o predomínio da individualidade sobre nossa tendência regressiva e de fusão com outro ser humano. É a derrota do amor, nome que usamos para descrever essa força que nos impulsiona, com desespero, na direção do outro. Como estamos acostumados à ideia de que o amor é um sentimento sublime e maravilhoso, podemos ter a impressão de que nossa era está nos impondo um dramático sacrifício. Isso pode estar acontecendo no nível das palavras, pois na vida real o amor sempre esteve mais associado à dor. Tais padecimentos vão diminuir quando as pessoas forem capazes de não mais buscar a fusão com o outro com o intuito de preencher o seu "buraco". Teremos definido um salto qualitativo

Uma nova visão do amor
Flávio Gikovate

de magnitude extraordinária, que parece finalmente completar nossa constituição como criaturas adultas, individuais e únicas.

E agora, viveremos sem amor? Deixaremos de contar com aquele calor adorável que nos faz sentir vivos e alegres apenas em virtude da presença de uma pessoa especial? Não é a minha opinião, apesar das diversas indicações de que muitas pessoas farão a opção viver efetivamente sozinhas. Essa é uma das características dos tempos que estão chegando: a liberdade de escolha do modo de ser e viver será cada vez maior. Haverá de tudo, e isso nos obrigará a aprender a conviver com as diferenças de forma verdadeiramente tolerante e respeitosa. Sim, porque hoje fazemos de conta que somos assim, mas, na realidade, tendemos a criticar as pessoas que não são e não pensam como nós. Isso não deixa de ser até mesmo ridículo, pois a prepotência e a arrogância presentes nessa postura estão em franco antagonismo com nossos profundos sentimentos de inferioridade. **Não temos uma boa imagem de nós mesmos e, ao mesmo tempo, colocamo-nos como paradigma da luz e da verdade!**

Acredito que a maioria das pessoas, ao menos em uma fase de sua vida, optará por viver um relacionamento amoroso mais intenso. **Essa é outra característica dos tempos que virão: ninguém será obrigado a tomar uma decisão válida por toda a vida. Uma pessoa, nos anos da juventude, poderá desejar muito se casar e ter filhos. Essa mesma pessoa, nos anos da maturi-**

dade, poderá preferir ficar só e não ter mais de compartilhar o cotidiano com outra pessoa. Poderá mesmo desejar viver variadas aventuras eróticas, tanto de natureza hétero como homossexual. Nada impedirá que, nos anos da velhice, prefira outra vez estabelecer um relacionamento estável, uma parceria agradável para os deleites e dores da idade mais avançada. As pessoas não terão de se moldar a uma única forma definida pelo meio social, muito menos de pensar e sentir do mesmo modo ao longo de todos os anos de sua vida.

Quando as pessoas passarem a se reconhecer como unidade, e não como uma frágil metade sempre em busca de uma solução externa para seu "buraco", elas desenvolverão uma força pessoal muito maior do que pode ser cogitada à primeira vista. Insisto que quem se reconhece como unidade não deixa de sentir o "buraco"; apenas não mais acredita que ele, um dia, se fechará por completo, muito menos que será salvo dele por um agente externo. Acontece que a criatura com essa consciência se torna, paulatinamente, mais e mais independente do que lhe é externo. Essa independência processa-se nos dois sentidos: a pessoa não espera sua salvação como algo vindo de fora, tampouco se sente tão em débito para com o meio que a cerca. Estou falando em débito apenas no sentido emocional, pois quem espera menos das pessoas não terá de se submeter a normas e pressões com as quais não estiver de acordo. **O caminho da individualidade é, pois, o mesmo que determina o fortalecimento das condições que nos levam**

a um modo de ser mais original e menos estereotipa-do. O sonho libertário dos anos 1960 pode ser efe-tivamente cogitado pelas pessoas capazes de chegar ao desenvolvimento pessoal que se inicia a partir da noção de que somos uma unidade.

Desfaz-se o sonho romântico da fusão e nascem outras possibilidades, interessantes e múltiplas. Uma das características do amor como nós o conhecemos é que ele, na prática, é vivido de modo padronizado. As pessoas têm a sensação de estar vivendo uma situa-ção única e especial; porém, vivem um processo idên-tico ao de muitos, nada criativo, que em tudo lembra a dependência do bebê para com sua mãe — inclusive as posturas e as palavras usadas, que são sempre as mesmas, além de meio ridículas. É preciso ter cautela, pois é incrível o apego das pessoas ao projeto românti-co, embora ele quase nunca se concretize na vida real. Qualquer tentativa de negar suas virtudes e mostrar o lado nocivo que ele carrega encontra grande resistên-cia. As pessoas não querem abrir mão de suas ilusões e não gostam de mudar de ideia, mesmo com o objetivo de melhorar sua condição interior. Já apontei o con-servadorismo que está presente em todos nós. Nossas ideias são nossa pátria, nosso chão. Assim, nós as de-fendemos ainda que não sejam verdadeiras e não nos levem aonde desejamos ir. Quem for contra nossas ideias estará contra nós; é como nos sentimos.

Todas essas observações se fazem necessárias antes de entrarmos no assunto propriamente dito, uma vez que

Uma nova visão do amor
Flávio Gikovate

não gostaria que elas fossem descartadas apenas por não estarem de acordo com o modo como as pessoas costumam pensar a respeito do amor. É preciso tentar prever como será o processo de recepção das ideias que estamos emitindo, evitando mal-entendidos e, assim, diminuindo o risco da rejeição antecipada, peculiar a todo pensamento novo.

Esse novo relacionamento amoroso, entre duas unidades e não entre duas metades, será de intensidade maior ou menor do que o amor romântico que muitos de nós conhecemos? Essa questão é fundamental para a maioria das pessoas, que não está, em hipótese alguma, disposta a abrir mão de nenhum tipo de prazer ou sensação prazerosa. A grande verdade é que não seremos capazes de comparar a intensidade de fenômenos tão diferentes. No amor, existem vários ingredientes que se associam à paz e ao prazer, derivados do ato de estar próximo daquela pessoa especial que nos encanta. É muito forte o medo: de perder a pessoa amada, a individualidade e a felicidade que o amor nos desperta. O medo e a vaidade determinam o ciúme, igualmente forte, que oferece uma emoção especial ao romance, como num filme de suspense que nos faz sentir permanentemente ameaçados — é válido dizer que são muitas as pessoas que adoram esse tipo de emoção, a qual poderíamos descrever como medo sob controle.

A própria vaidade, esse prazer erótico de se exibir e de chamar a atenção das pessoas, está presente em grande dose no fenômeno do amor. O amado nos diz coisas incríveis, que nos fazem sentir criaturas maravilhosas, óbvio alimento para o nosso ego. Não precisamos mais da admiração dos outros, e só nos interessamos em encantar o amado. Receber ou não esses sinais definirá se ainda estamos sendo amados; isso torna ainda mais emocionante o clima de risco que costuma envolver os romances dessa natureza. Cabe ainda perguntar se as pessoas gostam mesmo de amar ou apenas querem viver esse clima de dúvidas e incertezas, que deixa seu cotidiano monótono eventualmente mais emocionante. O amor é, em essência, a sensação de paz e harmonia obtida na presença de uma pessoa eleita como especial — como substituta da mãe, que transmite paz e é única. As outras emoções que costumam acompanhar o processo não fazem parte de fato do amor.

É adequado expor a questão da seguinte forma: do ponto de vista do amor, é provável que a união entre duas unidades seja de intensidade igual ou mesmo superior. Do ponto de vista do "filme de suspense e terror" que costuma acompanhar a união entre duas metades, não tenho a menor dúvida de que a intensidade desse tipo de emoção será muito menor nos novos relacionamentos. Poderá parecer que a intensidade "geral" tenha diminuído, uma vez que a maioria das pessoas não atentou para o fato de que, no relacionamento amoroso, boa parte das emoções tem outra natureza. É o que ocorre, por exemplo, com a amizade, sentimento amoroso de enorme intensidade, mas sem esse ingrediente de medo que costumamos sentir no amor. É comum que, em virtude disso, muitas pessoas atribuam à amizade uma importância menor em comparação com a que é atribuída a uma relação conjugal — além do fato de a amizade não incluir, como regra, desejos de natureza sexual.

Cabe mais um esclarecimento relevante antes de nos atermos ao que está para além do amor. Como as pessoas em geral não separam o sexo do amor, uma parte da emoção dita romântica corre por conta desse instinto. Além disso, durante o clima de suspense determinado pelo ciúme e pela desconfiança do outro, o desejo sexual costuma ser muito intenso. É como se estivéssemos perdendo a pessoa amada para logo depois reconquistá--la. **O sexo é parte do jogo de conquista no processo psíquico da maioria das pessoas, de modo que é vivido como muito mais emocionante nesse contexto do que num clima de segurança e certezas. Essa talvez seja uma das razões pelas quais as pessoas são tão fascinadas pelo ambiente de dúvidas e tensões tão comum nas relações amorosas em geral.**

Não imaginei, em momento algum, que o sexo entre duas unidades fosse muito diferente e de intensidade menor do que o praticado pelos casais que se fundem. Pelo contrário, acho até que nesse caso existem algumas facilidades importantes. Uma delas deriva do fato de que o outro, por ser unidade, jamais nos dá a impressão de dependência total, da submissão que existe no amor romântico. O outro não é um pedaço de nós, como acontece na fusão. Dessa forma, não perde o poder de nos despertar o desejo justamente por ser independente. **Na fusão, o que acontece é que é preciso chegar perto da perda da metade para sentir de novo o desejo** — Platão, em um dos seus diálogos, diz que não se pode desejar aquilo que se possui. É preciso que a metade esteja na iminência de deixar de sê-lo para que se torne objeto e, como tal, desejada. Na união entre unidades, o outro é sempre um objeto, externo a nós, sobre o qual não temos poder e controle.

Um dos grandes problemas que tenho enfrentado diz respeito à denominação que deveria ser dada a essa nova forma de amor. Amor é palavra comprometida com dominação, e o que mais gostaria de ressaltar é o caráter libertário dessa nova forma de aliança afetiva. Pensei em usar o termo "amizade", associado a tudo que os elos afetivos têm de bom e despojado do caráter possessivo típico do amor romântico. Porém, amizade é uma expressão sobre a qual as pessoas já formaram um juízo, de modo que, ao se referirem a ela, pensam em emoção gratificante mas privada de sexo. Além disso, é tida como emoção menor, de qualidade e intensidade inferiores ao amor. Não gostaria que fosse essa a impressão deixada pelo amor entre duas unidades, despojado apenas dos ingredientes de medo, vaidade e incertezas de todo tipo. **Penso que amor é uma expressão consagrada, e que seria uma pena deixar de ser compreendido corretamente por causa desse aspecto menor da questão. O aspecto é**

menor, mas a experiência tem me ensinado que é muito importante. Nós pensamos por meio das palavras, relacionando-nos com elas de modo mais intenso do que pode parecer à primeira vista.

Acabei optando por uma expressão que usarei em caráter provisório, até que consiga encontrar um termo mais atraente e útil. Chamarei o sentimento que une duas unidades de "mais do que amor" — ou +amor, de modo abreviado. Preservo a palavra "amor", que nos é tão cara, dando uma ideia clara de que a intensidade do sentimento está preservada ou mesmo amplificada. Assim, o amor corresponde à ânsia de fusão de duas pessoas que se sentem como se fossem metades e buscam a completude pela aliança com o outro. O +amor corresponde à sensação de aconchego e paz que deriva da aproximação entre criaturas que se veem como unidades, apesar de se sentirem incompletas.

As pessoas que se reconhecem intelectualmente como unidades, e também conseguiram a evolução emocional necessária para poder aceitar, sem tanta mágoa, o fato de que nosso nascimento é um evento irreversível, passam a ter outro tipo de vivência interior. Nessa nova condição, que é um avanço em relação ao modo como costumávamos conceituar a maturidade emocional, as pessoas são perfeitamente capazes de ficar consigo mesmas por um longo período. Não experimentam nenhuma dor insuportável como as que, no passado, proporcionavam peso dramático à palavra "solidão", termo que atribuía a essa condição um caráter extremamente negativo. Além disso, ficar só sempre foi visto como uma inadequação, uma incompetência para relacionamentos de todos os tipos. Nunca foi entendido como uma forma de vida, como uma preferência. **Penso que existe uma forte tendência das pessoas para desqualificar e desvalorizar as condições que elas não suportam. Assim, ficar só é tido como algo ruim apenas porque a maioria das pessoas não pode sequer se imaginar nessa situação por mais do que algumas horas.**

As pessoas que se sentem bem sozinhas têm no amor uma opção e não uma compulsão, como ocorre com aquelas que se sentem incompletas e não conseguem conviver com o seu "buraco". Estas últimas não podem se dar ao luxo de escolher com liberdade seus parceiros, nem tolerarão que eles sejam muito independentes. Tratarão, mais que depressa, de transformar os elos afetivos em uma série de regras de convivência. Essas normas acabaram cristalizando-se sob a forma dos contratos matrimoniais que nos são familiares. Eles existem para garantir a ordenação, outrora necessária, da vida social, mas também para atenuar as inseguranças daqueles que estabelecem dependências vitais com outros seres humanos que estão em situação idêntica de fragilidade. A grande fragilidade deriva de nossa real condição. Contudo, reforça-se por meio da precária solução que encontramos para atenuá-la. Depender, assim, de outra pessoa é uma empreitada que só poderá dar certo por mero acaso, e isso se dará muito raramente.

Uma nova visão do amor

Flávio Gikovate

O amor é uma necessidade das pessoas que se sentem incompletas. O +amor é uma opção das pessoas que se aceitam como incompletas e se deleitam com o prazer provocado pela agradável e calorosa sensação de intimidade resultante do convívio com outra criatura. Os compromissos também existirão no +amor, pois me parece impossível imaginar um relacionamento sem que algum tipo de regulamentação esteja presente. Acontece o mesmo com as amizades, regidas por códigos variados de acordo com cada caso. **No amor, as regras da vida em comum visam diminuir o risco da perda e, de certa forma, preservar o direito de posse de um sobre o outro** — se o outro é tão vital, nada mais lógico do que querer dominá-lo, possuí-lo e, se possível, engoli-lo. **No +amor, os compromissos e as prioridades são discutidos e as decisões podem ser de natureza variada.** No primeiro caso, o do amor, chega-se sempre às mesmas regras, que fazem parte do que há de mais tradicional no seio da sociedade — como é que todos pudemos, um dia, achar que se tratava de sentimento revolucionário?

É interessante ressaltar que o amor, principalmente o do tipo mais apaixonado e romântico, perde muito em intensidade ao se criarem os compromissos. Estes aumentam a segurança entre os que se envolveram e, ao mesmo tempo, diminuem significativamente os aspectos que descrevi como parte do filme de suspense que costuma acompanhar o início do encantamento. **Muitas são as pessoas que se surpreendem, por exemplo, com a diminuição do seu desejo sexual logo** depois do casamento. Outras registram também diminuição da intensidade sentimental. A verdade é que estão apenas se sentindo mais seguras e menos ameaçadas, condição que atenua muito as emoções não românticas que se acoplam ao amor. No +amor, não existem as grandes inseguranças e os temores de perda são muito menores, pois as unidades não estabelecem dependências vitais entre si. Por outro lado, o estabelecimento de compromissos não trará, em hipótese alguma, o arrefecimento das emoções, pelo fato de nunca terem sido abastecidas por essas incertezas. Após pouco tempo de vida estável, que envolva qualquer tipo de compromisso, o +amor será significativamente mais intenso e gratificante do que o amor. O mesmo vale para a vida sexual, que no +amor jamais se alimenta do jogo ligado à provocação de inseguranças no parceiro.

As ligações opcionais, não governadas por uma necessidade compulsiva, sempre se estabelecem segundo critérios de afinidade. Já discuti exaustivamente essa questão no capítulo anterior, ficando claro que a evolução emocional sempre nos impulsiona na direção de criaturas mais parecidas conosco. Isso depende de estarmos razoavelmente bem com nós mesmos — o que nunca chega a acontecer com os mais egoístas, que, de fato, não chegam a amar — e também de estarmos dispostos a tolerar os medos envolvidos nas relações mais íntimas, inclusive o de perder a individualidade. Ora, pessoas que se consideram como unidades não correm

Uma nova visão do amor
Flávio Gikovate

mais esse risco, uma vez que não são mais governadas pela ilusão de que possam encontrar a plenitude interior por meio das relações afetivas. Sendo assim, a sensação de completude nos obrigaria a abrir mão de tudo que prezamos em favor dela. **O +amor é um elo opcional que se estabelece entre pessoas que podem muito bem ficar sozinhas. Logo, só se dá entre criaturas semelhantes.**

Outra característica do +amor, do mesmo modo que no amor entre semelhantes, é ser sempre bilateral. Existe um pequeno risco de um dos parceiros ser governado pelo +amor enquanto o outro ainda é movido por sentimentos de amor, em geral do tipo mais evoluído, fronteiriço ao +amor. Não serão relacionamentos duradouros, a menos que o que ama evolua relativamente rápido na direção da independência. Pessoas que se reconhecem como unidades não são dominadoras nem suportam atitudes possessivas, sutis ou explícitas. **Unidades têm vida própria, interesses individuais e estão sempre entretidas com seus projetos. Não sentirão prazer no convívio prolongado com parceiros que não estiverem comprometidos com a sua própria vida, não bastando o fato de terem muito em comum.**

A busca de afinidades, ao invés de diferenças, resgata alguns dos critérios usados tradicionalmente quando os pais eram responsáveis pela escolha dos parceiros dos filhos, critérios esses que foram negados pelo romantismo — que se estabeleceu em oposição às regras de então. A noção de complementaridade

Uma nova visão do amor
Flávio Gikovate

tem sua lógica, além de ser causadora de tensões muito convenientes para os que têm medo do amor. Ela está ligada aos mecanismos de sobrevivência prática, uma vez que uma pessoa tímida e delicada tem seus interesses atendidos ao se acoplar a outra mais extrovertida e agressiva. **Os paradoxos vão se avolumando nesse mundo do amor, onde tudo é tido como obra de Cupido: justamente o amor romântico, o que louva as delícias da fusão e o desrespeito à escolha racional de parceiros, sugere que o amor que deriva da atração "natural" entre opostos seja o mais nobre. Essa união entre opostos, na realidade, não visa ao exercício do prazer e usufruto das delícias da vida em comum. Visa, sim, à soma das forças do casal assim constituído com o intuito de garantir a sobrevivência num mundo cada vez mais competitivo, que se foi criando à medida que a democracia e o capitalismo se consagravam.**

É oportuno ressaltar o caráter racional sempre presente no fenômeno amoroso. Isso se torna ainda mais evidente no +amor, segundo o qual tudo é opcional e as pessoas envolvidas podem perfeitamente ficar sozinhas. **Temos de descartar essa ideia tola de que a razão seja a parte menos nobre de nossa subjetividade, capaz de prejudicar o exercício de nossas emoções.** Esses dualismos nos perseguem o tempo todo, de modo que emoção e razão parecem ter, de repente, naturezas diferentes. É como se uma fosse derivada da alma, e a outra do corpo. **Às vezes penso que a noção do caráter**

Uma nova visão do amor

Flávio Gikovate

ilógico e irracional do amor foi desenvolvida, de forma lógica, por aqueles que ganham com isso, isto é, pelos que são predominantemente egoístas, muito espertos e competentes no que diz respeito a raciocinar, ainda que sem muito rigor, em causa própria. A irracionalidade do amor seria a única forma para explicar por que pessoas mais generosas e dedicadas costumam sentir-se tão fortemente encantadas por pessoas com características mais egoístas. Deixar as coisas dessa maneira é, pois, conveniente para estas últimas.

As pessoas que se reconhecem e se aceitam como unidades, e veem nisso um estado definitivo, conciliaram-se com a verdadeira condição humana. Nasceram, magoaram-se com a dolorosa sensação de desamparo, tentaram reconstituir a situação original por intermédio do amor, perceberam que a ideia da simbiose é mais interessante do que o fato em si e, finalmente, renderam-se ao caráter individual e único da nossa constituição. Esse caminho levou milênios para ser percorrido pela nossa espécie, pois, com o estabelecimento da vida em grupo de modo organizado e fixo, as pessoas foram induzidas a andar na direção inversa, qual seja, a da dependência. A rota da independência é nova; nasceu por acaso, sendo um fruto inesperado do avanço tecnológico. Prosperará cada vez mais, e seus efeitos sobre cada um de nós já começam a ser sentidos. Em breve, sentiremos também a influência desses processos ao alterarem as regras da vida em sociedade. Cada um de nós terá de evoluir na direção da individualidade, e isso traz como consequência uma tendência menor para estabelecer vínculos que envolvam dependências e concessões. Pessoas assim libertas tenderão a organizar-se socialmente de modo novo.

Tornar-se mais independente ainda é uma opção, não um caminho natural, pois não falta espaço para aqueles que querem viver em simbiose e instituir elos familiares possessivos e de dominação. Porém, isso não durará mais do que algumas décadas. Não se pode mais recomendar a dependência aos jovens. Eles terão de apressar o passo e se empenhar em aprender a ficar consigo mesmos. Descobrirão, com o tempo, que se trata de um estado extraordinariamente prazeroso. Um mundo interior rico em fantasias, projetos, reflexões, sonhos eróticos, além dos momentos de avaliação das inúmeras questões práticas com as quais temos de lidar, pode ser fonte de enormes gratificações. Algumas tensões e angústias podem surgir, especialmente as que se relacionam com as dores inexoráveis ligadas à nossa condição de seres mortais e finitos. Porém, se estivermos conscientes de que essas peculiaridades não podem ser alteradas, nós as deixaremos de lado e trataremos de nos ocupar com coisas nas quais podemos tentar interferir.

Pessoas individuadas, as que se reconhecem como unidades, sentem enorme prazer em ficar sós. São exatamente estas as que podem se envolver em relacionamentos de grande intimidade, regidos por afinidades. Têm mais facilidade para isso justamente por-

Uma nova visão do amor
Flávio Gikovate

que não se sentem tão ameaçadas; sua identidade não está mais em risco por não estar em jogo. O próprio medo de perder a pessoa querida diminui muito, pois a competência para ficar só garante uma vida interessante mesmo sem nenhuma companhia. Aqui temos uma condição nova, em que o medo próprio dos envolvimentos atenua-se muito — mesmo o medo da felicidade, que sempre existe, reduz-se, uma vez que ele é uma versão ampliada do medo de perder o que se preza muito. **O fator antiamor diminui naquelas pessoas para quem o amor tornou-se facultativo, não sendo mais indispensável.** Ficam mais livres para os encontros de grande intimidade precisamente aquelas pessoas que se sentem muito bem consigo mesmas. **É curioso, mas muitas coisas na vida são assim: só as temos quando não mais necessitamos delas de modo vital.**

As pessoas competentes para o +amor são, pois, as que também gostam muito de ficar sozinhas, cuidando de seus interesses pessoais, nem sempre compartilháveis. **Essas criaturas tendem a passar por uma contínua alternância entre os dois estados que mais lhe agradam: ou ficam junto da pessoa +amada ou ficam consigo mesmas. E mais: a transição se faz de modo suave e indolor, uma vez que significa sair de uma condição favorável para outra igualmente gratificante.** As dores são sentidas nas transições de uma situação vivida como boa para outra percebida como pior. Não é esse o caso aqui, para nenhuma das duas pessoas, já que ambas sentem igual prazer em ficar sozinhas. Não haverá,

Uma nova visão do amor
Flávio Gikovate

pois, nenhum tipo de pressão para impedir a alternância; nem mesmo as formas mais carinhosas de dominação existirão — "Fique mais um pouquinho comigo, gosto tanto da sua companhia, fico tão triste quando você vai embora" etc.

Além de não existirem as dores relacionadas com a separação, que lembram, cada vez que surgem, todo o sofrimento envolvido nas rupturas de todo tipo, **outra característica importante da ligação entre unidades é que o ciúme tende a ser muito pequeno — ou mesmo nulo.** Em primeiro lugar, pessoas mais bem compostas tendem a sentir-se menos ameaçadas pelos comportamentos dos outros, mesmo daqueles que lhes sejam muito relevantes. Em segundo lugar, a própria pessoa vivencia o prazer de ficar só, de modo que não se sente preterida pelo fato de o seu parceiro gostar de ficar longe dela. Sabemos que esse ingrediente, ligado à vaidade, é um importante componente do ciúme. Desaparece também aquela ideia fixa de que a pessoa só deseja estar longe para que possa se encontrar com alguém. Essa é uma concepção relacionada com nossa total incapacidade de ficar sós. A terceira razão para a diminuição do ciúme explica-se pelo fato de que as pessoas que chegam a esse grau de progresso interior não sentem nenhuma necessidade de mentir. Dessa forma, a confiança recíproca tende a ser muito alta. Afinidades garantem processos psíquicos parecidos, o que também facilita a confiança no outro.

Espero estar sendo claro ao tentar transmitir que o +amor, apesar de suas semelhanças com a amiza-

de, não significa perda de intensidade no envolvimento afetivo. Não se trata de prêmio de consolação, e sim do primeiro prêmio, até o momento muito difícil de ser conquistado, mesmo porque muitas pessoas nem sequer começaram a cogitar como se sentiriam estando consigo mesmas. O ciúme é destituído sem que haja nenhuma perda, a não ser no sentido da trama macabra que as pessoas geram em torno de suas histórias de amor. Talvez seja por isso que se diga que amor feliz não cria história. É fato que pouco se tem a dizer a respeito de duas pessoas que se entendem só pelo olhar, acreditam no que o outro lhes diz, têm certeza dos seus sentimentos, sentem enorme prazer em passar dias e dias apenas na companhia um do outro e têm sempre coisas interessantes para dizer ao parceiro, e não apenas o monótono e repetitivo "Eu te amo". É fato também que vivenciar essa condição é uma experiência maravilhosa, rica e plenamente gratificante.

O +amor aproxima-se da amizade no que se refere à solidez, à confiança, ao respeito aos direitos do outro, à preservação das liberdades e dos desejos individuais. Essa é uma de suas faces. A outra se aproxima da paixão, pois a intensidade da intimidade é máxima. As pessoas sentem fortíssimas emoções ao se reaproximarem, existe uma renovação de interesses e prazeres em comum, sempre há planos e projetos a serem realizados a dois, além dos individuais, isso sem falar do caráter intenso e constante das intimidades sexuais. A plena liberdade de comunicação e a compreensão sem julgamentos ampliam as intimidades em geral. Elas são particularmente benéficas para as questões relacionadas ao sexo, sendo que esse clima abre as portas para que a franqueza e o exercício de todas as fantasias acabem por determinar uma riqueza erótica incomum em outros relacionamentos. A intensidade e a durabilidade do prazer sexual no +amor são mais consistentes do que nos outros modos de intimidade amorosa.

Uma importante razão para essa riqueza sexual reside no próprio fato de as pessoas envolvidas não perderem o seu caráter de unidade. Quando existe a fusão romântica, não raramente surgem dificuldades sexuais, em particular nos homens. Na prática dessas relações nos casos em que se perde a identidade, o que acaba acontecendo é o seguinte: para que o outro se torne — ou volte a ser — atraente, é necessário que deixe de ser o que é. Por exemplo, a esposa submissa, mãe dos filhos e com personalidade pouco definida torna-se pouco atraente para seu marido. Se forem a um motel e ela usar roupas típicas de uma mulher vulgar, voltará a ser atraente aos olhos dele. Isso porque ela deixou, por alguns minutos, de ser o que é para "travestir-se" de outra pessoa. Ganhou exterioridade, deixou de ser metade para ser unidade. Tornou-se atraente e desejada por não ser mais parte do seu marido. Deixou de ser sua esposa e se transformou em uma mulher qualquer.

Cabe uma reflexão na direção inversa. Por que pessoas não tão bem individuadas são capazes de profunda intimidade nas amizades e fogem tão marcadamente

Uma nova visão do amor
Flávio Gikovate

das relações amorosas mais intensas? O que torna as amizades menos ameaçadoras? Acho que essa questão contém três ingredientes. O primeiro é de natureza racional. **Por mais que as pessoas não queiram ver, penso que, pelo fato de tratar-se de uma amizade e de não existir risco de outro tipo de envolvimento, já nos permitimos desenvolver maior intimidade.** A razão sempre interfere nos processos afetivos, de modo que, ao nos considerarmos, em decorrência de uma reflexão qualquer, como amigos, sentimo-nos mais livres e muito mais descontraídos. É o que acontece, com frequência e de forma perigosa, com as esposas dos amigos — e vice-versa, naturalmente. Pelo fato de serem apenas amigas, usualmente se tornam confidentes e muito mais próximas do amigo do que do próprio cônjuge. Fica fácil compreender o caráter explosivo desse tipo de intimidade, que, não poucas vezes, se transforma em fulminante e inesperada paixão. O registro desse fato tem o intuito de mostrar, de modo claro, que os limites existentes entre essas duas emoções são muito tênues e que elas contêm, na raiz, as mesmas características e os mesmos ingredientes.

As outras duas razões que nos fazem mais livres para usufruir as intimidades profundas típicas das amizades têm que ver ou com o fato de já estarmos envolvidos amorosamente com outra pessoa, ou com as peculiaridades do desejo sexual. Como ocorre com as substâncias químicas, eu diria que, estando a valência do amor preenchida, nos sentiríamos mais à vontade para nos aproximar de pessoas até mais interessantes do que nosso par sem nos sentir tão ameaçados. Não corremos o risco de nos apaixonar quando já estamos fortemente envolvidos no campo amoroso. Dessa forma, mesmo infelizes no amor, podemos nos achegar a pessoas muito interessantes sem grandes riscos de envolvimento. Temos ótimos amigos e péssimos companheiros amorosos porque não temos coragem para ir além.

O aspecto sexual também é relevante, de modo que, quando não há desejos homossexuais, **sentimo-nos mais livres para nutrir grande intimidade com pessoas do mesmo sexo, sendo que a ausência do desejo garante que estamos diante "apenas" de uma amizade.** O raciocínio aqui é o oposto do tradicional, que cita desejos homossexuais latentes nas amizades — esse tipo de reflexão é derivado da não-separação entre sexo e amor. **Mesmo entre pessoas de sexo oposto, as amizades são possíveis desde que o desejo não seja muito intenso.** Caso contrário, surgirá uma tendência para que ele se exerça, condição que costumamos relacionar com o fim da amizade. Ela poderia continuar a existir apesar das intimidades físicas, mas isso ainda é algo difícil e mais associado às fantasias libertárias do que ao nosso cotidiano. Ter relacionamentos sexuais sem se sentir comprometido e sem responsabilidade é um comportamento possível entre pessoas individuadas e muito bem constituídas, que são a exceção e não a regra, ao menos nos dias de hoje. Insisto que o impedimento aqui não é de natureza moral, mas está ligado à competência e ao desenvolvimento emocional.

Uma nova visão do amor

Flávio Gikovate

Minha argumentação pretende atingir dois objetivos fundamentais: o primeiro defende a tese de que o ciúme e outros ingredientes possessivos não têm relação direta com a intensidade do sentimento amoroso, e sim com o tamanho da insegurança pessoal e com a má gestão da vaidade. O outro objetivo consiste em demonstrar que **as amizades, relacionamentos entre semelhantes como regra, são muito intensas. E mais: que o +amor aproxima-se mais dessa emoção do que do amor, justamente porque respeita de forma integral os direitos individuais, que são permanentemente violentados nos relacionamentos amorosos tradicionais.** Ressalto, sempre que posso, esse aspecto conservador e retrógrado do amor. Aliás, uma emoção que deriva dos nossos anseios de voltar à simbiose uterina não poderia deixar de ser assim.

Nas amizades, assim como no +amor, não existem as tradicionais cobranças e as posturas de dominação tão usuais nos relacionamentos amorosos, mesmo nos de boa qualidade — nestes, como já apontei, tudo se passa da mesma forma, só que de modo mais sutil. Pessoas que se reconhecem como unidades não podem atribuir-se direitos de qualquer natureza sobre outras criaturas, que também passam a ser encaradas como unidades. Não só não podem fazer ao outro o que não suportariam para si mesmas — as pessoas que atingem esse estágio do desenvolvimento emocional são forçosamente criaturas morais — como não sentem necessidade de ter tais atitudes, nem mesmo se interessam por elas. Não dependem do outro para nada que lhes seja essencial. Assim, o empenho em extrair do outro determinadas atitudes e posicionamentos torna-se um esforço tolo, além de subtrair toda a validade da conquista — de que vale ouvir um "sim" quando a pessoa queria, de fato, dizer "não"?

As cobranças existem em virtude das inseguranças pessoais, que crescem à medida que elas vão sendo exercidas e, por isso mesmo, tendem à inevitável perpetuação. A ânsia de conseguir que o outro tenha comportamentos compatíveis com nossa expectativa visa a atenuar nossos temores de abandono. O mesmo acontece quando desejamos que o outro tenha exatamente as mesmas opiniões que temos acerca de todos os assuntos, relevantes ou não. As diferenças de opinião abalam a confiança no outro, além de nos lembrar que não somos uma mesma criatura, que a ideia de que duas metades se fundem para formar uma só não está se exercendo na prática. Pessoas que se sentem como unidades e têm opinião própria sobre tudo nem sequer cogitam a hipótese de que o outro, por mais relevante que seja do ponto de vista afetivo, tenha sempre os mesmos pontos de vista que elas a respeito dos assuntos da vida.

Indivíduos estáveis e constituídos em si mesmos não necessitam desse tipo de concordância, de modo que não existe sequer o desejo de se impor intelectualmente sobre o outro. Não se trata, pois, de um empenho no sentido de aceitar e tolerar as diferenças que possam

Uma nova visão do amor
Flávio Gikovate

existir no seio dos relacionamentos, com o intuito de preservar sua estabilidade e harmonia. A tolerância se dá de modo espontâneo e natural, uma vez que o ponto de partida é a percepção de que o outro é, como nós, uma unidade. **As afinidades e semelhanças são recebidas com alegria, ao passo que as diferenças não provocam nenhuma tristeza ou dor.** Elas existem porque são inexoráveis, porque dois cérebros jamais serão idênticos. É bom ressaltar que essa mesma atitude tolerante e compreensiva estende-se ao convívio em geral e se estabelece, portanto, como parte integrante da personalidade dos que se individuaram. Esse tipo de atitude não é uma peculiaridade do +amor, e sim do crescimento individual.

Outra característica dos que completaram o ciclo da individuação, que também leva ao desaparecimento das tendências para a cobrança de posturas adequadas — leia-se de acordo com o ponto de vista do que está cobrando — por parte da pessoa +amada, **reside no fato de a vaidade estar claramente concentrada em si mesmos, e não depender de comportamentos alheios.** Quando os limites das pessoas estão menos nítidos, elas tendem a se preocupar também com o comportamento dos que lhe são relevantes; isso em decorrência de tais posturas interferirem em sua própria autoestima e na imagem que passarão para os observadores em geral. Um pai ou uma mãe que não se reconhecem como unidades agem assim também em relação aos seus filhos. Por exemplo, se o menino vai mal na escola e é reprovado, isso ofenderá a vaidade dos pais, que se sentirão "integrados" na experiência de fracasso. Entre marido e mulher, situações similares acontecem o tempo todo. Se a mulher usar uma roupa muito vulgar, ela estará "envergonhando" seu marido. Se ele falar alguma bobagem durante uma festa, ela é que ficará ruborizada. E assim por diante. **O que fazer? Tentar controlar todos os passos, gestos, palavras e posturas dos que nos são caros. Em nome do amor ganhamos esse direito, que deriva, de modo claro, da perda dos limites entre as pessoas. Nada disso acontece no +amor, no qual a pessoa responde apenas por si e por seus comportamentos — o que, aliás, já é mais do que suficiente.**

Muitas são as pessoas que vêm tentando resolver essas questões relacionadas ao respeito pelas diferenças, com a garantia de liberdade e direitos individuais mínimos, por meio de saídas operacionais, práticas. Cresce o número dos que acreditam que, se as pessoas que se amam viverem em casas separadas, isso permitirá maior expressão do modo de ser de cada um — anseio de individualidade que, como podemos ver ao nosso redor, está ganhando cada vez mais vigor. Tais pessoas acreditam que, por essa via, poderão evitar muitos dos conflitos cotidianos relacionados com diferenças de ordem prática. Não há dúvida de que isso é verdadeiro. Porém, o que me parece mais relevante é que, ao se sentirem mais capazes para a vida individual, a tolerância dessas pessoas para os processos de dominação em geral decrescerá de modo inesperado.

Uma nova visão do amor
Flávio Gikovate

Pensando estar apenas solucionando problemas objetivos, essas criaturas estão, na verdade, exercitando sua individualidade. Ao se sentirem como unidades, não mais aceitarão nenhum tipo de opressão por parte do amado. Se este tiver evoluído do mesmo jeito, estaremos diante do +amor. Caso contrário, o relacionamento tenderá a se extinguir. **No +amor, o respeito é um fato. Não depende de soluções práticas. Assim sendo, para casais nesse estágio, tanto faz se vivem em uma única casa ou em duas, se dormem no mesmo quarto ou em quartos separados. O respeito é um imperativo bilateral e opera tanto no sentido de zelar pelos direitos do outro como pelos próprios.**

Um dos fatores mais problemáticos da paixão é o surgimento de uma enorme tendência ao isolamento social do par assim encantado. É, entre outras razões, por causa dessa propriedade que os apaixonados sonham em se mudar para uma ilha deserta, onde poderiam viver em paz e se deliciar com a companhia um do outro. A sensação de completude é tal que as pessoas, ao vivenciar esse estado de espírito, têm a impressão de não precisar de mais nada e de mais ninguém. Basta a presença do amado, emanando todas as luzes, todas as graças e toda a beleza desta vida. **O amado é tudo. O que ele diz e o que ele pensa é o que importa. Nenhuma outra opinião é relevante. Só nos interessa a opinião do amado a nosso respeito. Interessa e preocupa muito.** Sim, porque não podemos deixar de sentir um enorme pavor de perder a admiração dele. O amor deriva da admiração, e se nós o decepcionarmos tudo cairá por terra. Temos de nos certificar o tempo todo de que ainda somos amados, e gastamos grande parte do nosso dia observando suas feições para tentar encontrar algum sinal de que seu estado de espírito — em relação a nós, é claro — se alterou.

Esse tipo de contexto pede o isolamento, pois nessas condições surgirão menos razões para que o nível de encantamento se altere. O ideal é que não aconteça nada de novo ou muito especial, que não apareça nenhuma outra pessoa, pois ela poderá despertar no amado maior interesse e admiração do que nós. O ciúme existe e é muito forte, apesar de, teoricamente, tratar-se de uma situação em que os riscos de perda amorosa são quase nulos. Existe e é intensíssimo, devido aos seus dois ingredientes principais: o medo de perder alguém que se tornou vital e indispensável e também a total dependência da vaidade em relação ao amado. Isso significa que todos os sinais de admiração, desejo e respeito que gostamos de receber, com o intuito de alimentar nossa vaidade, agora deverão vir apenas da pessoa amada. Só nos interessam os sinais emitidos por ela, e apenas ela. É dela que esperamos tudo. Se ela der sinais de entusiasmo por qualquer outra pessoa, isso nos deixará arrasados. Estou falando de sinais de admiração e não, é claro, de encantamento amoroso. O amado não pode achar ninguém inteligente, interessante e bonito. Se o fizer, estará ofendendo a vaidade daquele que o ama.

Uma nova visão do amor

Flávio Gikovate

Esse clima, existente entre os que estão apaixonados, exclui, de fato, outras pessoas e um convívio social mais rico e variado. **Existe mais um ingrediente que reforça essa tendência ao isolamento dos que vivenciam esse estado de espírito. Ele reside no fato de que o amor que eles sentem um pelo outro, visível no modo de se olharem e se tratarem, provoca, na maior parte dos seus interlocutores, uma enorme inveja.** A paixão tem graves problemas internos, que podem ser detectados com facilidade nas descrições que tenho feito. Apesar disso, corresponde ao sonho da maioria das pessoas, fato justificável porque ela se caracteriza por um envolvimento bilateral que não costuma fazer parte da vivência da maioria dos casais — em geral, um ama e o outro é amado. A paixão corresponde a um avanço em relação ao que a maior parte das pessoas vive, de modo a tornar-se um dos maiores e mais fortes anseios delas. **A inveja será inevitável, pois ela surge sempre que convivemos com pessoas que possuem aquilo que tanto desejamos.**

Esse ingrediente tem grande efeito nos casais apaixonados, uma vez que se associa ao já presente medo interno da felicidade. Reforça a sensação de que a destruição está mesmo por vir e será externa, provocada pela agressividade da inveja. Cria-se, assim, uma razão fortíssima para o isolamento, uma razão externa — o que convém à nossa subjetividade, sempre disposta a eximir-se de responsabilidade. **O isolamento estimula ainda mais a brutal dependência que já havia sido cria-**

Uma nova visão do amor
Flávio Gikovate

da entre os que se amam dessa forma, de modo que eles passam, literalmente, a viver um em função do outro. O clima resultante não poderia deixar de ser o de permanente incerteza e constante vigilância, uma vez que poderá surgir, a qualquer instante, uma razão capaz de alterar um equilíbrio assim constituído.

Ser amado por aquela pessoa tão especial vai se tornando cada vez mais essencial, questão de vida ou morte. A atenção mútua só tende a crescer, tanto no sentido de agradar ao amado como de tentar saber se está tudo bem com o "nosso amor". Juntamente com a atenção, cresce também a preocupação, o medo de decepcionar, de perder o amor da única pessoa com quem nos importamos nesse mundo. O medo se justifica, pois o outro tornou-se a razão de ser; perdê-lo significa a morte, figurada ou concretamente. Não posso deixar de registrar, mais uma vez, a semelhança brutal entre esse estado e aquele do bebê recém-nascido com sua mãe. A sensação pode ser encantadora, fortíssima e rica em emoções complementares, como é o caso do medo — que, como vimos, dá prazer a muita gente. Todavia, o caráter regressivo contido na paixão é óbvio e inequívoco.

Pois bem: processos desse tipo jamais acontecem no +amor. Quem se reconhece como unidade não estabelece relacionamentos assim, que pregam a dependência de outra pessoa, ainda que ela seja a mais interessante e encantadora do mundo. Não se trata de um sacrifício, de tentar preservar a individualida-

Uma nova visão do amor

Flávio Gikovate

de apesar da tendência a diluir-se no outro. O processo é natural, pois a fusão é impossível e não há nenhuma vantagem nisso. Surge a vontade de constituir associações, alianças, mas não de fusão. O prazer da companhia é idêntico, volto a afirmar. O que diferencia o +amor da paixão é a menor intensidade dos medos; portanto, tem-se a quase inexistência de tensões e sofrimentos. **Não existe o enorme medo de perder o outro ou de que ele se interesse por pessoas diferentes. Dessa forma, não passa pela cabeça dos que se +amam a ideia de abandonar sua vida e seus projetos individuais com o intuito de apenas se abastecer do convívio mútuo.** Essa ideia de retração, de abandonar a vida prática, a vida social e, inclusive, a responsabilidade social é descabida em pessoas adultas, em pleno vigor de suas faculdades intelectuais.

À medida que os temores acerca da estabilidade do vínculo afetivo diminuem, os que se +amam tendem a desenvolver um movimento no sentido oposto: sua condição de privilegiados determina uma forte vontade de atuar decisivamente no seio da comunidade em que vivem. Podem, dessa forma, transferir para a sociedade uma parte das conquistas que foram capazes de atingir. Ressalto que não tenho intenção de criar nenhum tipo novo de utopia ou ilusão. Assim sendo, registro com veemência que, nessa ação dirigida para fora, existe um enorme ingrediente de vaidade. Existe o prazer de se exibir como uma pessoa construtiva, positiva e feliz. Existe o prazer derivado de chamar a atenção e atrair olhares de admiração por aquilo que se faz de útil e positivo. Isso significa duas coisas. A primeira é que a vaidade não se canalizou por completo na direção da pessoa amada e continua difusa, dirigida para todas as pessoas, como ela deve ser. A segunda é que, em decorrência do sentido moral que é inerente aos que foram capazes de evoluir emocionalmente, essa vaidade busca expressar-se de forma construtiva e benéfica às outras pessoas da comunidade.

Ao contrário dos que estão apaixonados, com tantos sentimentos afetivos direcionados essencialmente para o amado, os que se +amam sentem esse tipo de afetividade transbordante de modo difuso e generalizado. Ela se transforma no cerne daquilo que chamamos de solidariedade. Essa palavra é muito usada, porém poucas pessoas contam de fato com esse tipo de sentimento, que se expande em busca de toda a espécie humana. Os que se +amam gostam de conviver com todo tipo de pessoa, de conhecer o modo como pensam — já que, como sabemos, não se ofendem nem se irritam com diferenças de opinião. São pouco ciumentos, especialmente depois de consolidada a relação e estabelecidas as regras de convivência, que podem ser de natureza variada, compatível com as verdadeiras peculiaridades das criaturas que assim se envolvem e se comprometem. **Sendo pouco ciumentos e muito respeitadores, jamais se sentem no direito de interferir no convívio do parceiro com outras pessoas, da mesma forma que não deixam de lado suas vivências pessoais apenas porque encontraram uma pes-**

Uma nova visão do amor

Flávio Gikovate

soa com a qual se sentem particularmente envolvidos. Envolvidos, sim; fundidos, nunca.

A existência desse tipo de vínculo afetivo (derivado da consciência definitiva de que cada pessoa é uma unidade) abre o coração das criaturas assim gratificadas para tudo que as cerca. Surge o profundo sentimento de integração com as outras pessoas e com seu *habitat*. Surge um estado semelhante ao que apresentam os monges budistas, integrados no universo sentindo-se inteiros por causa disso. Aqui ocorre o inverso: inicialmente, a pessoa sente-se inteira — apesar de incompleta — para depois se encantar com essa forma de solidariedade difusa e impessoal, que tenho chamado, talvez de maneira imprópria, de "diluição". A pessoa sente-se integrada cosmicamente e experimenta a sensação básica da religiosidade por meio desse processo genérico de solidariedade, que a faz desejar "transbordar" nas outras criaturas com as quais convive. Trata-se de um tipo de promiscuidade, muito mais intensa do que aquela que envolve apenas o aspecto sexual.

A impressão que tenho é de que as pessoas, ao atingir o estágio do +amor, sentem que sua individualidade se enriquece pelo convívio íntimo com aquela criatura especial com a qual se relacionam. Sentem que isso, além de não ameaçar a unidade, faz dela uma entidade mais rica e mais forte. O passo seguinte consiste em estabelecer um elo igualmente intenso com as outras pessoas, gerando, em sentido profundo, a solidariedade e o sentimento místico de integração que nos fazem tão bem. É curioso observar que essa "diluição" não provoca nenhum tipo de ameaça à unidade que nos constitui essencialmente. Não contém os perigosos ingredientes do amor entre duas pessoas que, em virtude das inseguranças que determina, trazem consigo todo tipo de cobrança e a tendência para a posse e a dominação. A solidariedade e a integração com as pessoas em geral nos aconchegam sem que nos sintamos ameaçados. Só podemos vivenciar os prazeres da vida em grupo, inclusive a atenuação das vaidades e ambições individuais — que se transformam em peculiaridades também grupais, com seu charme e os óbvios perigos —, quando não nos sentimos ameaçados no que diz respeito à nossa identidade pessoal, ou em situações extraordinárias que não vêm ao caso aqui. Talvez esse avanço pessoal, hoje ainda tão malvisto e mal interpretado, um dia seja o responsável por sentimentos mais coletivistas, em detrimento daqueles essencialmente individualistas, próprios da nossa sociedade, que louva o amor romântico como sinônimo da virtude e raiz da solidariedade e de todos os bons sentimentos sociais.

O +amor não se opõe à continuidade das importantes relações de amizade que todos costumamos estabelecer quando não estamos vivendo o estado da paixão. Esta última condição, sim, opõe-se essencialmente a tudo que possa ser relevante para o amado a não ser a própria pessoa que o ama. Ou seja, quanto mais importante for o outro, no que diz respeito ao apreço que o amado tem por

Uma nova visão do amor
Flávio Gikovate

ele, maior será o ciúme envolvido, mesmo que não exista nenhum risco de perda amorosa. Por exemplo, os que estão apaixonados terão ciúme dos filhos e dos pais do amado, assim como dos seus amigos mais íntimos, criaturas nada ameaçadoras em termos da relação amorosa. **Nossa vaidade frustra-se caso, por alguns minutos, alguém seja importante para o amado do que nossa presença e existência. Nos relacionamentos amorosos de natureza duvidosa, como é o caso da união entre opostos, o que costuma acontecer é exatamente o inverso: essas outras relações que nos são caras suprem as carências humanas de todo tipo, inclusive a da falta de compreensão que costumamos sentir nesses vínculos ditos amorosos.** Aqui existem as amizades, porém não o amor verdadeiro, pois a "valência do amor" está, como vimos, preenchida de forma precária. No outro caso existe o amor, mas ele impede as amizades. No +amor existe tudo e nada se exclui.

A bem da verdade, o +amor nada mais é do que uma relação de amizade muito especial, farta, inclusive, quanto ao encantamento de natureza sexual. As afinidades espirituais e o nível de sinceridade e compreensão que existem nessas relações são idênticos aos que encontramos entre amigos muito chegados. É difícil imaginar uma aliança mais gratificante e rica entre dois seres humanos. Não existe a fusão, pois duas unidades jamais se submeteriam a isso. O que existe é uma enorme proximidade, povoada por trocas de todo tipo. **As trocas são a principal característica**

das boas relações humanas. Elas se opõem às tradicionais relações unilaterais, nas quais um é o que dá e o outro o que recebe. A palavra "trocar" pode soar incômoda aos ouvidos mais puristas, pois pode parecer que ela subentende uma atitude muito racional, própria de auditores e de contadores. Não é nada disso. Trata-se de um convívio saudável entre duas pessoas, em que nenhuma delas quer ficar no papel da que só recebe, condição indigna e humilhante, tampouco no daquele que só doa, condição igualmente indigna porque pressupõe fraqueza e desejo de dominação, ainda que pelo caminho do "bem".

Trocar significa que não mais existirão a figura do que é o generoso e aquela do egoísta. Significa que, com o crescimento emocional, as pessoas desejam agradar ao outro, mas com a condição de que ele apresente igual desejo. Evoluir quer dizer estar preocupado com o que é justo; isso inclui a cota de atenção, carinho e dedicação que se espera receber. Só se opõem às relações baseadas em trocas os defensores da generosidade como virtude e, principalmente, os que são mais egoístas e se beneficiam com essa posição, que prega a generosidade aos outros e não a si próprio. **Trocar não equivale a dar e receber nesta ou naquela medida. Significa ter desenvolvido o prazer de dar e também o de receber. Significa dar o que o outro deseja e receber aquilo que gostaria. Os generosos sentem que são melhores do que aqueles que não agem do mesmo modo que eles. Os que trocam não se acham melhores do que seus pares.**

Uma nova visão do amor
Flávio Gikovate

A troca é a forma de interação das pessoas que se estabeleceram como unidades, que se individuaram. Os defensores da fusão acabam vendo essas pessoas como individualistas, o que é verdadeiro. Entretanto, **costumam entender individualismo como sinônimo de egoísmo, o que não corresponde, em absoluto, aos fatos. O individualista é o que ama as trocas. Poderá fazê-lo com diversas intensidades, de modo a dar muito e muito receber, ou então nada dar e nada receber.** O egoísta é aquele que só recebe e desequilibra a balança das trocas, apropriando-se do que não lhe pertence. O egoísta é, de certa forma, como um ladrão. Suas armas são as ameaças e a chantagem sentimental; usa-as com o intuito de forçar o outro a agir de acordo com seu desejo ou necessidade. O individualista não age dessa maneira nem se submete a esse tipo de coação. Quando resiste às pressões para que dê algo, é chamado de egoísta; na verdade, deixa, assim, de satisfazer algum dos caprichos dos que de fato são egoístas.

Pode parecer paradoxal, mas são justamente as pessoas individualistas as que acabam por desenvolver os sentimentos mais sofisticados de solidariedade e integração social. Apenas pessoas bem equacionadas interiormente têm verdadeira disponibilidade para atender o outro; só elas têm energia sobrando, ainda que pouca, para dar ou trocar. O individualista não é o egoísta, tampouco o generoso. É o amante da justiça, o que prefere as trocas às relações assimétri-

Uma nova visão do amor

Flávio Gikovate

cas de qualquer tipo. **Quando mais dispostos para trocas intensas, estabelecem relacionamentos amorosos do tipo que chamo de "mais do que amor" — +amor. Quando não dispostos a isso, são criaturas essencialmente sozinhas, não sendo infelizes por essa razão. O encantamento do tipo +amor é facultativo, uma vez que cada unidade terá de buscar alívio próprio para suas dores.**

As relações +amorosas são voltadas principalmente para o prazer, já que indivíduos inteiros terão de cuidar pessoalmente de suas dores e dificuldades — é claro que o +amado pode ser conselheiro e também um consolo em momentos mais difíceis, mas a relação não existe com a finalidade de que um resolva os problemas do outro. **As relações amorosas tradicionais são sempre muito voltadas para os aspectos práticos da vida, sendo a maior parte do tempo gasta com discussões acerca do cotidiano. Isso torna o convívio maçante e desgastante. Pessoas com esse tipo de cotidiano buscam relacionamentos extraconjugais justamente para poder desfrutar algumas horas de prazer e de conversas amenas. É exatamente esse o cotidiano dos que se +amam.**

Não há como continuarmos "tapando o sol com a peneira". As relações amorosas, em particular a paixão, de natureza mais intensa e a mais louvada, são caracterizadas por uma ideia regressiva e totalmente inadequada à realidade objetiva que nós mesmos criamos. A ideia de que somos uma metade que só se resolve ao encontrar-se com outra, formando, com ela, uma só carne, pode parecer emocionante e atraente para quem gosta de filmes de terror e paga para sentir medo. É grosseira a cópia que o amor estabelece da fusão simbiótica vivida no útero. É óbvio que isso jamais poderia funcionar na vida real, especialmente nos dias de hoje, em que a velocidade da locomoção e da informação exige criaturas ágeis e individuais. Em virtude desse caráter regressivo, essas relações acabam se transformando em instrumentos de dominação e de restrição grave à liberdade e aos direitos individuais. Isso é feito em nome do ciúme, emoção que ganha dignidade apenas dentro desse contexto, uma vez que é tida como parte integrante e inexorável do amor — o que me parece bastante duvidoso.

O amor fecha as pessoas em si mesmas, subtrai delas o entusiasmo e o interesse pelos outros. Essas ações são necessárias se considerarmos o seu maior intento: o de fazer a pessoa se sentir como na simbiose uterina. **O amor é, pois, alienante. Nele se consubstancia tudo aquilo que se opõe à vida. É a antivida.** É em virtude dessas observações que gostaria de deixar clara minha posição a respeito das mudanças que tenho notado no modo como estamos vivendo as relações interpessoais nos nossos dias. Além de achá-las inevitáveis — o que, por si, já subtrai a importância das nossas opiniões —, penso que elas são incrivelmente bem-vindas. **Compreendo a dificuldade que a maior parte das pessoas tem em assumir uma postura críti-**

ca em relação ao amor. Aprendemos, desde os nossos primeiros dias, que esse sentimento nos proporciona a mais bela e rica de todas as emoções, sendo a melhor coisa que poderia acontecer conosco. **Mudar de postura, no meio do caminho da vida, é extremamente difícil.** Porém, essa parece ser a principal peculiaridade, e a maior provação, da minha geração e das gerações sucessivas.

www.gruposummus.com.br

IMPRESSO NA
sumago gráfica editorial ltda
rua itauna, 789 vila maria
02111-031 são paulo sp
tel e fax 11 **2955 5636**
sumago@sumago.com.br